エンド・ゲーム

常野物語

恩田　陸

集英社文庫

エンド・ゲーム　常野物語

目次

エンド・ゲーム

常野物語《とこのものがたり》

第一章　十二月十九日　金曜日

夜のバスは空《す》いていた。

けれど、都心に向かう道はひどく混んでいて、びっしりと道路を埋めるタクシーのテールランプが赤い群れを作っている。無理もない、年の暮れの週末なのだ。今日は一年で一番道が混む日だ、と誰かが言っていたっけ。さっきからほとんど進まないバスの中で、乗客たちはあきらめたようにじっと座っている。

一番後ろの席で、他の乗客の背中を見ながら揺られていると、時子はいつも小学校の林間学校で聞いた怪談を思い出す。

それは、バスの運転手の話だった。

最終バスを運転していた運転手が、ふと、ルームミラーの中に一人だけ残っている乗客に気が付く。一番後ろの席に座っている、髪の長い若い女。

こんな時間に、どこで降りるのだろう。運転手は不思議に思う。この先の停留所に、民家はもうほとんどないからだ。

終点を目指して走りながら、運転手はふとルームミラーの中の女が座っている場所が変わっていることに気付く。確かにさっき見た時には一番後ろの席に座っていたのに、いつのまにか、少し前の席に移動しているのだ。

降りやすい位置に移動したのだろう、と彼は自分に言い聞かせる。

ところが、暫《しばら》くしてまた鏡の中を見ると、女は、更に前の席に移動している。

運転手は気味が悪くなる。バスの中は暗く、女は俯《うつむ》き加減なので表情が見えない。

だが、どんどん彼に近付いてきているのは確かだ。

運転手は恐怖を感じる。鏡を見るのが怖い。今度覗《のぞ》いたら、次はきっと——

激しく打つ心臓。首の後ろを流れる冷や汗。

とうとう我慢しきれずにルームミラーに目をやった彼は、自分の顔と並んで笑う女の顔が映し出されているのを見て悲鳴を上げ、ハンドルを切り損ねてしまう——

バスの窓に映る自分の顔をぼんやりと眺める。

華やかな年末の街の風景に重なっているバスの乗客たち。

ここは賑《にぎ》やかな道路だからいいけれど、人気のない田舎《いなか》の路線バスを夜一人で運転するのは怖いだろうな、と思う。

乗用車ですら、一人で運転していると、ふと気味が悪くなる瞬間がある。なんとなく、後ろに誰かが座っているような気がすることがあるのだ。

一時は、母がほとんど運転しなくなったのをいいことに、練習を兼ねて随分母の車を乗りまわしたものだが、最近ではあまり運転しなくなってしまった。

ルームミラーが怖いからだ。

恐らく母も、それで運転をしなくなったのだ。そう気付いたのは、最近になってからだった。

あの頃のあたしは、なんと無邪気で愚かだったことだろう。

時子は過去の自分に舌打ちしたくなるのと同時に、そのおめでたさ、無謀さに懐かしさすら感じている。今の自分が、遥かに遠く離れたところに来てしまっていることを実感しているのだ。

あの日以来、母が自分に重なってきているのを強く感じる。母の感じていた恐怖が、母が長年培ってきた用心深さが、彼女に乗り移ってきたかのようだ。

これでよかったのだろうか。

何度も繰り返した疑問を、もう一度胸の中で反芻《はんすう》する。

この選択は正しかったのだろうか。

がくん、とバスが揺れた。

ちっとも進んでいないと思っていたバスは、いつのまにか目的地に着いていた。

時子は慌ててバスを降りる。背後でばたんとドアが閉まり、冷たい夜の風に棒立ちになった。そんな彼女の前を、華やかな格好をした男女が笑い声を立てて通り過ぎてゆく。もう夜の九時を回っているが、クリスマスを控えた暮れの週末は、まだまだ始まったばかりなのだ。

時子はコートの衿《えり》を合わせ、目の前に聳《そび》える巨大な要塞《ようさい》のようなビルを見上げた。ともあれ、あそこに、あたしたちの未来がある。

「ただいま」と声を掛け、玄関にボストンバッグを置いて家の中に入った時に、時子はかすかな違和感を覚えた。

なんだろう、この違和感は。

母が留守なのは知っている。会社の部の研修を兼ねた慰安旅行で、岐阜の温泉に行っているからだ。

たまたま時子のゼミ旅行と二日間重なってしまったため、母が出かけるところは見ていない。戻るのは明日のはず。

空き巣にでも入られたのだろうか？

古いマンションだし、その気になれば入るのは簡単だ。

「お母さん？」

わざと明るい声をあげ、大きな足音を立てながら、家の中を素早く見て回る。誰かが潜んでいるのなら、さっさと逃げ出してほしいという目論見《もくろみ》からである。女所帯が長いと、こういう細々とした警戒心が育つ。

部屋に異状はなかった。あちこちに分散して隠してある貴重品にも変化はない。

時子は首をひねった。

こうして見ると、いつも通りの家の中だ。さっき家に入った時に感じた違和感は何だったのだろう。

訝《いぶか》しく思いながらも、閉め切っていた家の中に風を通し、うがいをして、お湯を沸かす。

弱々しい冬の陽射しが、廊下に長い影を作る。

キッチンの椅子《いす》に腰掛けて、やかんのお湯が沸騰するのを待ちながら、時子はぼんやりとその影を見ていた。

こんな日だったな。

記憶の底で何かが揺らめく。

お父さんがいなくなったのは。

その時、玄関に置きっぱなしにしていたバッグの中の携帯電話がけたたましく鳴りだし、時子はギョッとして背筋を伸ばした。

慌てて携帯電話を取り出すと、ディスプレイに母の携帯電話の番号が表示されていた。

なんだ、お母さんか。

なんとなくホッとして通話ボタンを押す。

「はい？　今、家に着いたよ」

「拝島《はいじま》時子さんですか」

返ってきたのは、若い女性の硬い声だった。

「はい、そうですが」

面食らいながらも返事をする。あれ。お母さんの番号だったのに。

「私、稗田《ひえだ》物産でお母様の秘書を務めさせていただいております河合と申します。今、お母様の携帯電話から掛けさせていただいております」

きびきびした、しかし緊迫した声。

時子は、顔から血が引くのを感じた。

「母に何か？」

時子の声の調子が変わったのに向こうも気付いたのだろう。一瞬、躊躇《ちゅうちょ》する気配が伝わってきた。

「今自宅に戻ったところなんです。母は今どこに？」

時子は努めて冷静な口調で尋ねた。電話の向こうの相手が、決心するのが分かる。

「実は、今朝《けさ》、宿の外で倒れているところを見つかりまして、病院に運ばれました」

「えっ」

時子が絶句すると、相手は慌てて言った。

「命には別状ありません。ですが」

「ですが？」

「なぜか意識が戻らないんです。ずっと眠ったままで」

「眠ったまま？」

時子は再び絶句した。

「詳しいことは、時子さんがこちらにいらしてから説明します。つきましては、お手数なんですが、お母様の健康保険証と、身の回りのものを持ってきていただきたいんです。今日はもうこれから連絡のいい電車がないので、明日の朝一番で来ていただくことになると思います。交通費はありますか？　片道一万円くらい掛かるんです」

「大丈夫です」

「じゃあ、ここへのアクセスを説明しますね」

「あ、今メモ取りますので、移動します」

倒れた。お母さんが倒れた。眠ったまま。ずっと。

頭の中は真っ白だったが、身体《からだ》は動いていた。

リビングの電話台のところに移動し、ボールペンを手に取った時、何かがひらめいた。

電話から流れ出す声を聞きながら、彼女はキッチンを振り返った。

グレイの大きな冷蔵庫。

違和感の正体が何だったのか分かった。

メモがない。

あの電話番号が書かれたメモがないのだ。

長年ずっと冷蔵庫に貼《は》られていたメモ。父がいなくなった時ですら掛けなかった、あの電話番号。

それがなくなっている。メモを留めていた、トースターの形をしたマグネットだけがぽつんと残されていた。

お母さんが持っていったのだ。

時子は確信した。

お母さんは、あたしがいない間に、あの電話番号に電話を掛けたのだ。

案内された病室は、病院のイメージとかけ離れた木目調の心地好い部屋だった。

野花も活《い》けられ、趣味の良いリトグラフが壁に掛けられていて、さまざまな医療器具も目立たないようにうまく設置されている。

そこに、母が寝ていた。

顔色も悪くなく、本当に、ただすうすうと眠っているようにしか見えない。

ちょっと見には、ホテルのベッドで熟睡している、という感じなのだ。

いつもの見知った母親の顔がそこにあったので、時子はようやく安堵《あんど》した。顔を見るまではあらゆることが不安でたまらなかったが、母の存在を確認できたことで少し落ち着きを取り戻し、世界に色彩が戻ってきたような気がした。

改めて、時子をここへ連れてきてくれた母の秘書を振り返る。

河合詩織は想像していたよりもずっと若く、ずっと美人だった。時子とそんなに歳《とし》も変わらないのではないか。

「申し訳ありません。発見が遅れてしまって」

詩織に頭を下げられ、時子は恐縮した。

「いいえ。こちらこそすみません、いろいろとご迷惑をお掛けしまして」

慌てて頭を下げる。

「母の容体は」

「今、先生がいらっしゃるので説明して貰《もら》えると思います。安定しているし、電話でも言いましたが、命に関わる状態ではないそうです」

「眠っている、と」

「ええ。そうとしか言いようがないんです」

二人でちらっとベッドに眠る女を見る。

本当に、ただ眠っているようだった。

「なぜ母は外に。露天風呂《ろてんぶろ》か何かですか」

時子は声を潜めた。

詩織もつられて声を低める。

「いいえ。一昨日《おととい》の晩は、午後に研修も終わって、部の懇親会になっていたんです。でも、拝島部長は、午後三時くらいに出かけられまして」

「出かけた？　こんなところで？」

思わず声が詰問調になってしまう。

しかし、こう言ってはなんだが、ここまで来るのもローカル線を乗り継いでかなりの時間が掛かったし、周囲に出かける場所などありそうもない山奥である。

詩織はもっともだというように頷《うなず》いた。

「ええ。こちらに知り合いがいて、こんな機会でもないと会えないので、ちょっと挨拶《あいさつ》してくるとおっしゃいまして。もしかすると、戻りは深夜になるかもしれないから、その時は懇親会を欠席させてくれということでした」

「知り合い——」

冷蔵庫に残ったトースターのマグネットが目に浮かぶ。

「その方の名前は言っていましたか？　住所とか」

時子が尋ねると、詩織は首を振った。

「いいえ。プライベートだからとおっしゃるので、私も深くは聞かなかったんです。で、夕方一度電話がありまして、やはり遅くなりそうなので、懇親会は欠席する、先に休んでくれと連絡を下さったんです」

岐阜に知り合いがいるという話は聞いたことがない。親戚《しんせき》ですら、ほとんど会ったことがないくらいなのだ。

「あのう、こういうことはちょくちょくあったんでしょうか」

「こういうこと？」

「こんなふうに、会社を留守にしてどこかに出かけるというようなことは」

「いいえ。私の知っている限りでは、これが初めてです。この懇親会は、正直言って若手社員のためのものなんです。拝島さんのような部長クラスになると、挨拶だけして部屋に戻ってしまう人もいます。その方が若い人が飲みやすいだろうからと言って。だから、私も、ひょっとして、みんなが飲みやすいように気を遣われたのかなと思ってたくらいで」

「そうですか」

冷蔵庫に残されたマグネット。

母があのメモを無造作にむしり取っていく姿が目に浮かんだ。

なぜ？　なぜ今になって？

「ですから、特に私からは連絡しなかったんです。そうしたら、翌朝、七時頃に宿の従業員が、玄関付近で倒れている部長を見つけて」

「格好は？」

「出かけられた時のままです。黒のブルゾンにジーンズ。外傷もなく、バッグの中身にも特に異状はありませんでした。倒れていた時間は、そんなに長くなかったようです」

「じゃあ、明け方になってから宿に戻ってきたということですか」

「そのようです」

時子は必死に考えた。

あの電話番号の相手が、母が言った「知り合い」なのだろうか。それよりも、そもそも母は、あの電話番号の相手が誰なのか知っていたのだろうか。

変だ、と思った。

母は、自分が帰ってこなかったらあの番号に電話をするようにと言っていた。そこに電話をすれば助けてもらえる、と。だったら、母があの電話番号を剝《は》がしていく理由は何なのだ？　剝がしてしまったら、残された時子の役に立たないではないか。

もちろん、子供の頃からずっと目にしているだけに、あの電話番号は覚えてしまっているし、そのことを母も知っている。だから、あのメモを剝がしてしまっても困らない。

ひょっとして、メモを剝がしたこと自体が何らかのメッセージだったのだろうか。

でも、あれは東京都内の番号だった。少なくとも、「岐阜県の知り合い」の番号ではない。

誰かが入ってくる気配がして、詩織が頭を下げた。

振り返ると、もっさりとした大柄な中年男が看護師と一緒に入ってきた。しかし、不思議と不快感はなく、そのもっさりした無表情な顔が逆に安心感を与える。男は、時子に気が付くと、軽く会釈した。

「伏見《ふしみ》と言います。患者さんのご家族の方ですか」

「娘です」

「驚かれたでしょう。私も正直言って驚いているんですが」

伏見と名乗った医者は、淡々とそう言うと、みんなに近くの椅子に腰掛けるよう促した。

「幾つかお聞きしたいことがあるんですが」

緊張しつつ腰を下ろすと、伏見はそっと時子の顔を見た。

「お母さんは、何か持病がありましたか」

伏見はカルテを見ながら尋ねた。

「いいえ」

「何か常用している薬はありましたか」

「いいえ」

「社内の健康診断の結果は至って健康でした。秋に人間ドックにも入られましたが、どこも引っ掛からなかったと聞いています」

詩織がさりげなく口を挟んだ。

「そうですか」

伏見は考え込む。

が、今度はちらっと詩織を見る。

「ええと、精神面でも健康だったということですね。カウンセリングや、心療内科に掛かっているということもなかったわけですね」

「はい」

時子と詩織は揃《そろ》って頷いた。

「最初は脳梗塞《のうこうそく》を疑ったんですがね」

伏見はぽりぽりと頭を掻《か》いた。

　時子は、この医者が印象よりもずっと若いことに気が付いた。若白髪なのだ。よく見ると、肌もつるんとしていて、身体の線もシャープだ。まだ三十代かもしれない。

「検査をしても、綺麗なものです。脳も心臓も、どこもさしあたって異常なし。何か薬物でも摂取したのかと思って血液検査をしましたが、こちらも異常なし。率直に申し上げて、理由が分からない」

「昏睡《こんすい》状態ということですか」

「いえ、それとは違います。自発呼吸もありますし、熟睡しているとしか言いようがありません」

「なぜ目を覚まさないのでしょう。殴られたとか、そういう形跡はないんでしょうか」

「ありません。外傷もないし、脳内出血の跡もない」

　いっとき、沈黙が降りた。

　伏見が再びちらっと時子を見る。

「眠りに、浅い眠りと深い眠りがあることはご存知ですね」

「はい」

「人間が眠っていると、浅い眠りと深い眠りが交互に波を描くように訪れる。俗に、浅い眠りは身体を休めるため、深い眠りは主に脳を休めるため、と言われています。脳波を見ると、お母さんは、ずっと深いほうの眠りが続いているんです」

脳を休めるほうの眠り。

伏見の言葉は、時子の胸の奥を突いた。

母は休んでいるのだろうか。

眠っている母をそっと見る。

疲れていたことは確かだろう。家計も支えなければならないし、娘を守らなければならない。その心労は察するに余りある。

母はもう限界だったのかもしれない。だから、休んだのだ。緊張と不安に満ちた歳月から逃れて。戦いの日々に嫌気がさして。

「——じゃあ、部長は夢を見ていないんですね」

詩織が唐突に呟《つぶや》いたので、他の三人が彼女の顔を見た。

彼女は、そのことで自分が独り言を言っていたことに気付いたらしく、どぎまぎして顔を赤らめた。

「すみません、こんな時に。ええと、夢を見るのは浅い眠りのほうだと聞いたことがあったので」

「はい、そうです。身体は眠っていても、脳は覚醒《かくせい》しているので、夢を見るんです」

伏見はのんびりと頷いた。

「症例としては聞いたことがありますが、このようなケースの患者さんを診るのは初めてです」

時子は、母が深い暗闇《くらやみ》の底に横たわっているところを想像した。

深い深い眠り。死のような休息。

母は「裏返された」のだろうか。

これまで考えまいとしてきたことが、ついに心に浮かんでしまった。

「裏返された」。

とうとう母まで。

一年近く、その兆候はなかった。時々、自分たちの将来について楽観し、これまでのことを忘れてしまえることもあったくらいだ。

しかし、とうとうこの日が来てしまった。

答を見つける前に。

ここ数年、母は、自分たちのこの特質が、脳の異変なのではないかと疑っていたようだった。

それまではあまりその理屈について考えてみたことはなかったというが、最近は脳の研究が進んだと聞いて、暇をみてはインターネットなどで調べていた姿が目に残っている。

しょせん素人だから、と詳しくは語らなかったが、時折調べたことを夕食の話題にしていた。

脳の損傷で、色彩が感じられなくなったり、音楽が聞こえたり、他者の認識の仕方が変わって、人間を無機質に感じたりするという症例があるそうだ。その損傷や欠落が、遺伝によってもたらされる場合もあり、場所によっては、ある島の住民みんなが同じ症状を呈していることもあるという。恐らく、閉鎖された状況で住民の近親婚が進み、遺伝的に均質な状態になっているのだろう。

自分たちの場合も、これと同じなのではないか。特定のものが特殊な形態に見えるのは、遺伝性の脳の変質によるものなのではないか、と。

自分たちが「あれ」を見ている時の脳、「あれ」と戦っている時の脳がどういう状態なのか見たい、と母はしばしば漏らしていた。脳ドックが登場した時にも真っ先に入ったが、母が考えるほど精密なものではなかったらしく、がっかりしていたのを覚えている。

こんな形で、脳の異変ではないと知らされるとは。

何か決定的なことが起きてしまったという確信はあるものの、それでも時子は半信半疑だった。

「裏返される」とはどういうことなのか。

時子はまだその危険を感じたことがない。これまでに何度か「裏返した」ことはあるが、あれも気が付いたらそうなっていただけで、やろうと思ってやったという実感や、こうすればいいというノウハウのようなものはつかめていないのだ。

夢も見ない眠りの状態が、「裏返された」状態なのだろうか。せめてそれが分かれば、覚悟ができるのに。

時子は唇を嚙《か》んだ。

いつ母は「裏返された」のか。いったい誰に。こんな人里離れたところで、母を「裏返せる」人物に出くわすなんて。あの電話番号は関係あるのか。

ふと、時子は自分が母を羨《うらや》ましく思っていることに気付いた。

群集に怯《おび》え、街の中に溢《あふ》れる鏡に怯える日々から離脱した母を、心のどこかであたしは妬《ねた》んでいる。

同時に、自分が一人ぼっちになってしまったことを、ほとんど痛みのように実感した。

こんなに早く、この日が来るなんて。

時子は呆然《ぼうぜん》とした。

何も考えていなかった。心の準備をしていなかった。

ことの重大さが、じわじわと身体に染みてくる。

どうすればいい。母は目覚めるのか。目覚めたとしても、それは自分の知っている母なのか。

「最近、事故に遭ったというようなこともありませんね？　車をぶつけたとか、転倒して頭を打ったとか」

伏見は腕組みをして考えこんでいる。

「いいえ。それもありません」

時子と詩織は顔を見合わせ、首を振った。

「まだ丸一日と少しですが、もしこれが長引くようであれば、栄養剤も点滴で入れなければならないですし、どこで療養するかも考えなければならなくなります。更に詳しく検査をしてみますが、お嬢さんが通うためには、転院することも視野に入れないと」

伏見が時子の目を見てゆっくりと言った。

長引くようであれば。栄養剤の点滴。転院。

どの言葉も、初めて聞く言葉のようだ。しっかりしていて、聡明で、きびきびと隙《すき》のなかった母がそんなものを必要とすることになるとは。

このまま二度と目覚めなかったら？

そう考えてゾッとした。

「ご親戚は？　どなたか相談できる人は？」

時子はのろのろと首を振った。

「大学生だとお聞きしました。授業は？」

「四年なので、もう授業は終わっています。あとは年明けに卒論を出すだけです」

「どうなさいますか」

「母の様子を見て、考えてみます」

「すぐに目が覚めるかもしれませんし、ずっと覚めないかもしれない」

伏見は淡々と言った。

「正直、どうなるか私にも分かりません。私の知っている脳の専門医を呼ぼうと思っていますが、実際、脳については、まだまだ未知のことが多いんです」

「相談しましょうね」

詩織が、時子に向かって力強く頷いた。

その凛々《りり》しい目を見て、かえって不安が増幅された。

母の仕事。経済的な事情。これからの負担。

もう就職は決まっていたが、母が目覚めなかった時、母の面倒を見ながら暮らしていけるのだろうか。

現実が潮のように足元に押し寄せてくるのを感じる。

「あの、会社のほうは大丈夫でしょうか」

「年内には、もう大きな仕事はありませんし、部長には消化していない休暇が沢山ありますから、当分は休んでも支障ありません」

「そうですか」

時子は弱々しく自分の膝《ひざ》を見た。

「あのう、何日か、ここで母をお願いしてもよろしいですか」

時子はすがるように詩織と伏見の顔を交互に見た。

「はい、もちろん」

伏見はこっくりと頷いた。

時子は病室を見回した。

窓の向こうに、揺れる木立が見える。

大きな窓だ。

外には林が広がっていて、すっかり葉を落としているが、殺伐とした印象はなく、むしろ落ち着ける眺めだった。

「ここは、静かで、落ち着いていて——母一人、子一人で、母がゆっくり休めることなんてなかったですから、今はとりあえず休ませてあげたいんです」

「分かりました」

伏見も窓の外に目をやる。

鳥の群れが飛んでいく。

「いいお部屋ですね。病院でこんなところがあるなんて知りませんでした」

「たまたま近くに救急病院がなかったので、ここに運ばれたんですね」

伏見の言葉に、何かためらいのようなものを感じて、時子は彼の顔を見た。

彼はひどく穏やかな目で時子を見ると、口を開いた。

「ここは、主体はホスピスなんですよ」


今年の春に都心の再開発で登場した、一つの街のような巨大な商業施設である。オフィスビルやＴＶ局、外資系ホテルやマンションに加え、鳴り物入りで登場した多くの飲食店を含む商店街が評判となり、開業から半年を過ぎた今も大賑わいだ。

深夜まで営業する店も多いので、こんな時間でもまだ宵の口のような人通りがある。

時子は一人、群集に紛れるようにして俯き加減に道を急いだ。

幾つものビルが並ぶ複合施設のせいか、時折変な方向から嫌な風が吹く。

思わず身震いしてしまうのは、その冷たさのせいだけではない。

なんだか嫌なところだ。

時子は用心深く周囲を見回した。

要塞のようなビルは、まだ大部分の窓が皓々《こうこう》と不夜城のごとく光っている。それがそのビルを闇の中で獲物を狙《ねら》っている巨大な獣のように見せて、どこか威圧的だった。

ここに来るのは初めてだった。雑誌から切り取ってきた地図を取り出し、自分の居場所を確認する。

なぜこんな場所を選んだのだろう。

ちらっと恨めしい気持ちが湧《わ》いた。

あたしのことを知っているはずなのに。

友人たちの間では、時子は広場恐怖症ということで通している。不特定多数の人が沢山いる広い場所は苦手なのだ、と説明しているので、親しい友人たちは気を遣ってくれ、こういう商業施設にはあまり誘わない。

人工的な街は、大勢の人間をおのれの胎内へと誘い込む。周囲から独立した一画は、巨大な孵卵器《ふらんき》のようだ。不穏なものをひっそりと抱え込み、それらが孵化する日まで都市の底で育てている。

趣向を凝らした照明。ガラスの向こうで週末のひとときを楽しむ人々。

路面店は、どこも素通しだ。夜のガラスは、鏡にもなる。

時子は不安が膨らむのを感じた。

ここは見通しがきかない。つまり、死角が多い。

曲線を多用し、回遊型の施設にしているらしい。迷宮めいた、路地裏のような雰囲気を狙っているのだろう。

確かに広くて大勢の人間がいるところは苦手だが、こういう場所も問題だった。不意を突かれたり、出会い頭に目を合わせたり、見られていても気付かなかったりするからだ。

目的地が分からずうろうろしていると、目の前に何か大きなものがあることに気付いた。

さりげなく見上げると、そこにはぬうっと巨大な蜘蛛《くも》のようなものが立っている。

まさか。

ぎくっとして反射的に後退《あとじさ》りするが、一呼吸おいて、それは大きなブロンズ像だと気付いた。

動悸《どうき》が激しくなっている。

そういえば、敷地内に現代アートが幾つも展示されていると何かで読んだ。きっとこれがそれなのだ。

もう一度、恐る恐るそのブロンズ像を見上げずにはいられなかった。

かなりの大きさだ。三階建ての建物の高さはゆうにある。

時子は低く溜息《ためいき》を漏らした。

今にも動き出しそうな。

押し殺していたおぞましさが噴き出しそうになる。

まるで――まるで、あたしの悪夢がそのまま形になったような。

時子は足早にそこを立ち去ろうとした。だが、どうしても立ち止まり、後ろを振り返ってしまう。

夜空に溶け込むように、その巨大なオブジェは立っていた。むろん、動き出すはずなどない。

「どうしてボウリングのピンがあるの？」

背中で少女の声が聞こえる。いいえ、これは記憶の中の声。

「どうしてボウリングのピンがあるの？」

いったん聞こえ始めた声は消えない。

全身に汗が噴き出していた。いけない。不用意に見てはいけない。

時子は振り向いた。

明るい青空。

そこは、小学校の校庭だった。

さんさんと柔らかな春の陽射しが降り注ぎ、幼い彼女の頬《ほお》に当たる。

緊張しながら彼女はとんとんとんと鉄の階段を上がる。作文を読むために、全校生徒の見守る中、正面の台に上がったところだった。

先生がマイクの高さを調整してくれる。

手に持っていた原稿用紙を広げ、彼女は顔を上げる。

マイクに風が当たり、ゴッ、という雑音が入る。

全校生徒が整然と並んでいて、校庭の奥にあるゴールポストの白い枠が、視力検査の記号みたいに目に飛び込んできた。

が、目に飛び込んできたのはそれだけではなかった。

校庭を埋める生徒たちの間に、なんだか奇妙なものが混じっているのである。

黒い頭がずらりと並んでいるその中に、きらきら光っているものがあるのだ。

あそこにも。あ、あっちにもいる。

彼女は素早く目でそれを数える。それが何なのか目を凝らす。

銀色の頭なのだ。

それはちょうど、ボウリングのピンに似ていた。治療した奥歯みたいに銀をかぶせたピン。生徒たちと同じ背格好の、ボウリングのピンが列に混ざって立っている。

朝日にきらきらと光るボウリングのピン。先っちょが細長くて、米粒のようだ。

原稿用紙を広げたまま、彼女は呆然としていた。

あれは何？

手にした原稿を読むことを忘れ、彼女はマイクに向かってこう呼びかけていた。

「**どうしてボウリングのピンがあるの？**」

静かなロビーは池に面していて、品のいい初老の婦人が二人、隅のテーブルで話しこんでいる以外は無人だった。

詩織が、自動販売機のコーヒーを淹《い》れて持ってきてくれる。

「ありがとうございます」

紙コップに入ったコーヒーは熱く、二人はテーブルの上にコップを置き、暫く無言で冷めるのを待った。

よく磨かれた窓の向こうに、緑色の水面《みなも》が見え、時折さざなみが起きて、水面に浮かぶ蓮《はす》に似た葉が揺れた。その上に、音符のような形をした灰色の小鳥がサッと止まっては飛び立つ。小鳥たちは、水面で遊んでいるようだ。

「ごめんなさい。この辺りで、お医者様がいて、検査をできるところってここしかなかったんです」

詩織が小さく頭を下げた。

「いえ、そんな」

時子は首を振った。

ホスピスだと聞いた時のショックや決まりの悪さはもう消えていた。そんなところに母親が運ばれたことを嫌悪する気持ちも一瞬あったが、今は拒否せずに面倒を見てくれたことを感謝する気持ちが勝っている。

「びっくりしたでしょう」

詩織は時子の顔を見た。

「ええ」

「どなたか、親戚の方が？」

「うち、全然いないんですよ」

「ですよね。そう伺ってました」

詩織は一瞬躊躇してから、低く尋ねた。

「お父様はまだ見つからないんですよね」

「はい」

時子の父、暎子《えいこ》の夫が、もう十年以上も前に姿を消したことは詩織も知っているのだろう。あれ以来、一度も父からの連絡はなく、全く消息も分からない。七年経ったあとで失踪《しっそう》を申し立てていれば、死亡扱いになって保険金も受け取れたのに、母はついにそうしなかったのだ。

「人間の身体って不思議ですねえ」

詩織はコーヒーを飲みながら呟いた。

「いったいどうしてなんでしょう。眠ったままだなんて」

詩織は小さく首を振った。

闇の底で眠る母。

お母さんは「裏返された」んじゃない。

詩織の横顔を見ているうちに、ふと、そんな考えが降ってきた。

「裏返されて」いたら、あんな状態にはならない。お父さんだって、すっかり別人のようになって、どこかへ行ってしまったではないか。

老婦人に手を引かれて、歩いていく父の背中が目に浮かんだ。その背中は今ではあまりにも遠く、セピア色に霞《かす》んでいる。

お母さんは、戦ったのだ。

強い確信が湧いてくる。

そうだ。それなら辻褄《つじつま》が合う。

時子は熱いのも忘れてコーヒーを啜《すす》った。

お母さんは、「裏返され」そうになったけれど、踏みとどまったんだ。相手はかなり強かったに違いない。お母さんが相手を「裏返せなかった」からだ。もし「裏返されて」しまっていたら、お母さんは姿を消していたはずだ。お母さんは、自分が相手を倒せないと直感した。だから、「裏返される」のを拒絶して、眠ることを選択したんだ。

夢も見ない深い眠りを。

「きっと、何年分もまとめて眠ってるんだと思います」

時子がそう言うと、詩織は不思議そうな顔で見た。

口にすると、確信が強まった。

そうだ。お母さんは「裏返される」ことよりも、深く眠る方を選んだのだ。そうすれば、誰かに発見されて、連絡はあたしのところに来る。そして、眠ってはいるものの、身体はあたしのそばに残ることができる。もし「裏返されて」いれば、あたしはお母さんに二度と会えなかったはずだ。

そう考えると、徐々に不安が消えていった。

お母さんは、あたしに自分の未来を委《ゆだ》ねたのだ。

時子は詩織の顔を見た。

「父がいなくなってから、母は一人でずっと必死に働いてきましたから。あたしの就職が決まって、ホッとしたんじゃないかな」

そののんびりした口調に、詩織は感心とあきれ顔の混ざった表情になった。

「しっかりしてますねえ、時子さんて。さすが拝島部長のお嬢さんですね」

「そんなことありませんよ」

「そうそう、私の携帯電話の番号を教えておきますね」

詩織も面白い人だ、と、電話番号を交換しながら時子は思った。

とてもビジネスライクなところと、若い娘のあっけらかんとしたところが混じり合っている。そっけないようでもあるし、無償で親身になってくれるところもある。

「こういう病院は、大抵一週間ごとに支払いがあると思うんです。一週間以内に部長が出られるかどうかは分かりませんが、大部屋扱いにしてくれているので、そんなに無茶な金額にはならないはずです。経済的に、どうですか？」

詩織が現実的なところを率直に尋ねたので、心強く感じる。

「それは大丈夫です」

お金に関しては、母は時子が中学生の頃から詳しく説明して将来に備えてきた。どちらか一人になった時のことが頭にあったのだろう。さっきは動揺してしまったが、考えてみればまとまった貯金もある。自分も働けば、なんとかやっていけるはずだ。

「私はいったん東京に戻って、会社に状況を報告してきます。電話しますね。部長が目覚めたら、呼んでください。時子さんはどうなさいます？」

「二、三日様子を見て、私も一度自宅に戻ろうと思います。今後のことを決めなければならないし」

「その時には電話して下さい」

「はい。いろいろとありがとうございました」

今後のこと。

時子は池の向こうに並ぶ、黒い木々に目をやった。

その時、頭に浮かんでいたのは、やはり冷蔵庫に残されていたトースターのマグネットだった。


「主観の問題よ」

母はそう言った。

それはしばしば母が使う台詞《せりふ》だったが、最初に聞いたのは高校生の時だった。

あの、奇妙な胸騒ぎに苛《さいな》まれたあげく、早退して母の会社まで行って「あれ」に出くわした日の晩のことだ。

時子は、母が「あれ」の前で立ちすくんでいるのを見た。

母が見た「あれ」。

それは、甘酸っぱい臭《にお》いの漂う、腐りかけた巨大なイチゴだった。

ほとんど暗褐色になりかけたイチゴが、ずんぐりした中年女の肩の上に――本来は頭があるべきところに――載っていた。

なんだあれは。お母さんはあんなものを見ていたのか。

母と夕飯の席を囲んでも、時子はまだあの異形《いぎょう》の姿が脳裏から消えなかった。

それはほんの短い時間で、時子が目をやったとたん、破裂して飛び散ってしまったのだが――あんなおぞましいものを目にしたのは生まれて初めてだったし、同時に、本当は生まれた時からずっと知っていたのだが、ついにそれが現実の世界に現れたのだという諦観《ていかん》のようなものも感じていた。

同じような表情は、廊下に立ち尽くす母の顔にも見られた。

娘のお陰で助かったという安堵と、娘も同じ世界に足を踏み入れてしまったという苦悩が混ざった表情。

あの時のあたしたちは、鏡を見ているみたいだった。

母は溜息をつき、今日は一緒にお鮨《すし》を食べて帰ろうと言った。そして、母の馴染《なじ》みらしいその店に入る頃には、もういつも通りの冷静で有能な母に戻っていた。

慣れた様子で鮨を注文している間も、娘がまだ脳裏の残像を反芻しているのをじっと観察していたが、やがてぽつりとそう言ったのだった。

「主観の問題よ」

「問題？　何の問題って言ったの？」

時子は思わず聞き返していた。

母が何を言ったのか一瞬聞き取れなかったのだ。

「だから、主観の問題。あんたも見たでしょう？　あたしにはああ見える。あたしが見てしまったものは、あんたにも同じように見えたはず」

「イチゴに？」

「そう。大きなイチゴだったわね。いつもイチゴとは限らない。でも、あたしの場合、概《おおむ》ね植物だわね。ツタとか、シダとか」

「ふうん。そうなんだ」

時子は生返事をした。あまりにもあのイチゴの印象が鮮烈だったので、ツタやシダと言われてもイメージが浮かばない。

「あんたにはどう見えるの？」

母は正面から時子を見た。

「え」

「あたしとは違うでしょう。人によって違うのよ」

母は紫蘇《しそ》の実をぱんとはたくと、醬油皿《しょうゆざら》に落とした。

概ね植物。

どう見えるの。あたしには。

時子が混乱しているのを見て取ったのか、母は口を開いた。

「おじいちゃんは、干し芋だったそうよ」

「ほら、ストーブで焼いて、食べたことあったでしょ。サツマイモを切って、お餅《もち》みたいに薄くして、干したの。あんた、おいしいおいしいって食べてたじゃないの」

「ああ、あれか。お母さんが会社の人から貰ったんだよね」

「そう。あたしは子供の頃から好物だったんだけど、おじいちゃん、あれが大嫌いでね。どうしてだろうと思ってたら、おじいちゃんには『あれ』は干し芋に見えるんだって」

「干し芋ねえ。どんなふうに見えるんだろ」

時子は、灰色のひらべったいものが人間の服を着ているところを思い浮かべた。

「みんな、何か原因があるらしいわ。きっかけみたいなものが。きっかけがあって、それ以降何を見るかが決まるのよ」

母は他人事《ひとごと》のように呟くと、お猪口《ちょこ》をスッと傾けた。

外ではあまり飲まない母であるが、あの晩は結構お酒を飲んでいたように思う。

「お母さんは何がきっかけだったの」

時子は割り箸《ばし》を弄《もてあそ》びながら尋ねた。

あんたにはどう見える?

母の何もかも見透かしているような目が、時子の中に突き刺さったまま消えない。胸の中では、その答を探す自分が、もごもごと何かを呟いている。

「今となってはよく分からないんだけど」

母はテーブルの上で腕を組んだ。

「やっぱりあれかなあ――子供の頃に、近所に八百屋さんがあってね」

目が宙を泳ぐ。

「声の大きな、元気なおばあさんが一人でやっていたの。戦争でご主人を亡くして、女手一つで息子さんを育てて、息子さんが大きくなってからは、二人でお店をやっていたのね。ところが、交通事故で、この息子さんがあっけなく亡くなってしまったの。それ以来、おばあさんはめっきり老け込んじゃってね。すっかり商売もやる気をなくしてしまった。息子さんだけが、おばあさんの生きる目的だったのね。それを突然失ってしまったから、それはもう、可哀相《かわいそう》なくらいに」

「それで？」

時子は先を促す。

「だんだん無口になって、ぼんやりするようになって、表情がなくなっていったわ。店を開けてはいるの。もう長年の習慣が身体に染み付いているから、条件反射で朝起きると店を開けるのね。でももう商売をする気力がない。だから、いつもひたすらお店の中で座っているだけ。きっと本人は、長いことやってきたように、いつも通り仕入れに行って、いつも通り商売をやっているつもりだったんでしょうね。だけど、実際のところは、何も仕入れてはいなかったの。時々お客に声を掛けてみたりするんだけど、途中から、もう常連さんの顔も分かっていなかったみたい」

「でも、八百屋さんなんでしょ？」

「うん。だから、何週間も前の野菜や果物が、ずっと店頭に並んだまま。近所の人たちが見かねてこっそり処分しようとするんだけど、そうすると泥棒が入ったって大騒ぎして、大変なのよ。おばあさんの目には、自分が仕入れた新鮮な野菜に見えてたんでしょうね。そのうち誰も近寄らなくなった」

「じゃあ、品物は腐っちゃったんだ」

「そう。どんどん干からびたり、腐ったり、虫がたかったり。あ、ごめんね、食事中に」

母は目の前の皿に載った鮨を、思い出したように見た。

時子は苦笑する。

「それで？」

「それだけよ。で、あたしはある日、店番をしているそのおばあさんが、緑色の苔《こけ》に変わっているのを見たの」

「苔に？」

「ほんの一瞬よ。明かりも点《つ》けずに、店の奥の暗がりに座っていたおばあさん。汚れた割烹着《かっぽうぎ》と三角巾《さんかくきん》を着けて、座っているところを通りすがりに見たんだけど、その時、三角巾と割烹着の下から苔がはみだしているのを見たの。あれっと思ったけど、急いでいたから振り返らなかった。でも、後から考えてみると、あれが初めて見た時だったらしいのね」

時子は無意識のうちに呟いていた。

「ボウリングのピン」

「え？」

「ボウリングのピンよ」

時子は小さく叫んだ。

「何が」

「あたしの見たもの。そうか、あれがそうだったんだ」

時子は興奮していた。探していたイメージと、言葉とが結びついた興奮。この時初めて、自分が見たものと、自分の持つ宿命とが一致したのだ。

「ボウリングのピンですって？」

母は眉《まゆ》をひそめた。

時子は勢いこんで頷いた。

「小学校の時、朝礼でみんなの前に立った時、列の中に、ぽつんぽつんと銀色のボウリングのピンが混ざってた。朝日にキラキラ光ってた。あたし、思わずマイクで言っちゃったの。『どうしてボウリングのピンがあるの？』って。全校生徒が大笑いして、先生は、あたしがまだ寝ぼけてるって思ったみたい」

母はしげしげと娘を見た。

「そんなことがあったの。知らなかったわ」

「言わなかったっけ。きっと、自分が見たものの意味が分からなかったのね」

「ボウリングのピン、ね。形がああなの？」

「うん。ボウリングのピンが洋服着てた」

「これはまた不思議ね。あんた、ボウリングやったことあった？」

「ううん。ない。ＴＶで見たことがあるだけ」

母は口に手を当てて考え込んだ。

「ボウリング――」

「これって大事なこと？」

時子は些《いささ》か茶化して首をかしげてみせた。

「まあね」

母はニコリともせずに答えた。

時子はたじろいだ。

「どうして？」

「一説によると」

母は真顔で腕を組み直した。

「その人の影の部分がきっかけになるというから」

「影の部分って」

「嫌だと思うことよ。思い出したくない、忘れてしまいたいような記憶が引き金になって、何を見るかが決まるというの。おじいちゃんは、仲の悪かった上級生に、踏《ふ》み潰《つぶ》した干し芋を無理やり食べさせられたからだって言ってた」

「へえ。そうなんだ。でも、あたし、特にボウリングに嫌な記憶なんてないよ。やったこともないし」

「そうよね」

「どっちが先なんだろ」

「どっちがって？」

「嫌なことをきっかけに見られるようになるのか、見ちゃったから嫌になるのか」

「たぶん、嫌なことをきっかけに見られるようになる、というのが合ってる気がするわ」

「そうかしら」

「恐らく、それが『あれ』の存在を感じられるようになることだからよ。存在を察知できるようになるための第一歩が、そういう嫌悪の感情なんじゃないかしら」

「ふうん」

あの晩の時子は、むしろ新しい世界に足を踏み入れたことを誇らしく感じていたに違いない。初潮や受験など、経験した者どうしでなければ絶対に共有できない感情があるように、あの日、ようやくそれまで未知の領域だった大きなものを母と共有できたという喜びが、不安よりも勝っていたのだ。

「ねえ、お父さんは？」

「何」

「お父さんにはどう見えたの？」

めっきり口にすることの少なくなっていたその単語を出したのは、そんな高揚のせいだったかもしれない。

母は、奇妙な表情をした。

戸惑うような、恥じらうような、母として知っている顔には見出《みいだ》せなかった表情。

「さあね」

「さあねって、教えてよ」

時子はムッとして、身を乗り出した。だが、母は首を振る。

「知らないもの」

「嘘《うそ》」

「本当よ」

母は苦笑いした。

「お父さん、教えてくれなかったのよ。自分が何を見てるか」

「そんなことってある？　だって、あたしがイチゴを見たみたいに、お父さんが『あれ』を見てれば、お母さんにも見えたはずでしょう」

「だから、見たことがないのよ。お父さんはずば抜けて強かったから」

きっぱりと言い切る母に、時子は絶句してしまった。

「お父さんが強かったのは、『見る』前に『裏返せた』ことよ」

今度は母が身を乗り出す番である。

「不特定多数の人間といっぺんに顔を合わせても、その中の『あれ』の存在を瞬時に全部察知して、自分のイメージで『見る』前に一度に『裏返せて』しまえたの。だから、大教室での講義も平気だったのよ。いかに強かったかが分かるでしょ」

母の口調はどこか誇らしげだ。が、ふと表情が曇る。

「おかげで、とうとうあの人がどういうものを『見て』いたのかは分からなかったけどね」

「見た」ものを夫と共有できなかったのは、淋《さび》しいことでもあったに違いない。今の時子にならば分かる。

「じゃあ、あのおばあさんは、お父さんよりも強かったってことなの？」

「そういうことになる。だから、最初、あんたが一人で戻ってきた時、なかなか信じられなかったのよ」

「だから捜索願を出さなかったの？」

「ええ。すぐに戻ってくるような気がしたの。一時的に『裏返されて』いたのだとしても、あの人のことだから、『裏返し』返して二、三日中に戻ってくるんじゃないかって」

母は自嘲気味《じちょうぎみ》に笑った。

そして、長い月日が流れ、二、三日中に戻るはずだった夫は、当時小学生だった娘が高校生になっても、まだ現れないのだ。

たまに父の話題が出ると、必ず最後は沈黙になる。

二人は、そのよく慣れ親しんだ沈黙の中で、同じことを考えていた。

父は生きているのか。どこにいるのか。そして、今何をしているのか。

ようやくエレベーターホールを見つけた時には、全身が冷や汗でびっしょりだった。

ボウリングのピン。

今ごろあんなに昔のことを鮮明に思い出すなんて。なんだか気味が悪い。

ビルの最上階には、有料の展望台があるため、何基もあるエレベーターはどれも混んでいる。そのほとんどがカップルだ。

最近のエレベーターは、本当にスピードが速くて静かだ。まるで、弾丸のように空に向かって撃ち出されているような気がする。

ぼそぼそと喋《しゃべ》るカップルの声を背中に聞きながら、時子は伏し目がちに佇《たたず》んでいた。

あたしのような目的でこのエレベーターに乗っている人間などいないのだ。

エレベーターはいっぱいだったが、時子は孤独を感じた。

目の前にいるカップルも、時子と同じくらいの歳だろうか。可愛い女の子と、清潔感のある男の子。お金はないけれど、精一杯にお洒落《しゃれ》をして、週末の夜を過ごす二人。

他には何も考える必要がない。他人など見えない。二人だけの贅沢《ぜいたく》な時間を邪魔する者は誰もいない。

不意に、痛いような嫉妬《しっと》を覚えた。

どうしてだろう。背格好も、歳も、そんなに変わらない。他人が見たら、今どきの若い子とひとくくりにされるはずだ。なのに、何があたしと彼女を隔てているのだろうか。

こめかみが、喉《のど》が、ひりひりする。

壊してやりたい、この幸福を。

男の子の背中に庖丁《ほうちょう》を突き立てる自分を想像する。

きっと、彼は自分が刺されたことにも気付かないのだろう。楽しく恋人と話していたのに、急に目の前が暗くなり、エレベーターのドアが開いた時、彼の口は「?」の形をしたまま、ゆっくりと床に崩れ落ちる。真新しい床に、赤いものが広がっていく。

悲鳴が上がり、客が逃げ出す。そこに残るのは、時子と、彼女と、床に倒れている青年だけ。彼女は理由も分からず、倒れている青年にすがりつく。彼女もまた、「?」の目をして、ぼんやりと立ち尽くしている時子を見上げる――

突然、身体が強張《こわば》った。

時子は、電流でも流れたかのように、皮膚の感覚を研ぎ澄ます。

誰かが見ている。

全身の毛穴から汗が噴き出す。

このエレベーターの中の誰かがあたしを見ている。

気のせいじゃない。

時子は身動きもできず、じりじりと周囲の気配を窺《うかが》った。

でも、なんだか変だ。「あれ」の気配とは違う。「あれ」はもっと――

ほんの少し顔を上げた瞬間、視線が合った。

まずい。

まるで、二つの黒曜石が目に飛び込んできたようだった。

もし彼が「あれ」だったならば、その瞬間に時子は「裏返されて」いただろう。

が、視線が合ったのはごく短い時間で、すぐにあっさりと視線は外された。

なんだ、なんだ。安堵と肩透かしとを同時に感じる。

たまたま時子のほうを見ていた、ということだったのか。

時子はそっと青年を観察した。

二十代後半――いや、三十代半ばかもしれない。

背が高いので、周囲よりも頭一つ近く抜け出ている。だから、視線を感じたのだろう。

真っ黒な髪も目も、これだけみんなが髪を染めている今となっては珍しく感じる。

白いシャツに黒のジャケット。周囲の人間が関わってくることを拒絶するような、冷ややかなムードがある。

見た目は男性的なのだが、どこか無機質で、あえて男性の輪郭を消しているようなところもある。無表情なその目は、何の感情も湛《たた》えていない。もう時子と目を合わせたことも忘れてしまっているかのようだ。

単なる偶然なのか。神経質になっていて、自意識過剰だったのか。

時子は内心首をひねっていた。
ともかく、「あれ」ではない。それだけでもよかった。
もし「あれ」だったら、危なかった。
遅れてどっと冷や汗が流れてきた。
音もなくエレベーターが到着し、扉が開いた。
ぞろぞろと客たちが吐き出されていく。
時子も群集の一人となり、華やかな照明に包まれた場所に引き寄せられていく。
そこは、現代美術を集めた新しい美術館だった。
オープニングを飾る特別展のテーマは「しあわせ」。
時子は、思わず苦笑を浮かべていた。
なんと今の自分からは遠く皮肉な言葉だろう。

公衆電話の前を行ったり来たりして、どのくらい時間が経っただろうか。
午後の病院のロビーは人気がない。
母の様子に変化がないことを暫く見守ってから、時子はここにやってきた。
電話は、プライバシーを守るために幾つかの個室に分かれていた。

その個室に入るかどうか迷いながら、暫くうろうろする。

窓の向こうで、冬の木々が揺れている。まるで時子の迷いを嘲笑《あざわら》うかのように。

心の中では、二つの声が戦っている。

電話してご覧よ。最後にお母さんが掛けたのかもしれないよ。

でも、お父さんがいざという時に掛けろと言ってから、もう十年以上経ってるんだよ。電話番号だって、他の人に変わってしまってるかもしれない。

今掛けなくていつ掛けるっていうの。お母さんもあんなふうになってしまったっていうのに、何を躊躇しているの。

なんて説明すればいいの？　お母さんが「裏返された」って？　そんなことをいきなり言って、分かってくれる人なんているはずないじゃない。お母さんだって、お父さんがいなくなった時に電話を掛けなかった。今更掛けたからってどうにもならないよ。

お母さんが電話しなかったのは、すぐにお父さんが戻ると思っていたから。娘がいたから。あんたに今誰がいるっていうの？　一人ぼっちで、相談できる相手も全然いない。何かあったらあそこに電話しろと言ったのは、あんたのお母さんじゃなかったっけ？で、今の状態は、何かあった状態って言わないの？

電話番号は、くっきりと頭の中に浮かんでくる。

これだと言わんばかりに鮮明に。

どうすればいい。いったい誰が出るのか。誰かが出てくれたとして、何と説明すればよいのか。

いつのまにか、時子はすっかり緊張してしまっていた。

電話の前をうろうろし始めてから、二十分は経っている。

ままよ。

思い切って、ブースに入り、ドアを閉めた。

カード式の電話を、初めて見るもののように眺める。

さらに数分が経過した。

話さなければいい。

そう思い付く。

電話を掛けて、相手に喋らせておけばいい。それで、関係なさそうだったら、すぐに切ってしまえばいいのだ。そう。公衆電話だし、分かりっこない。いたたまれなくなったら、間違えましたって言えばいい。

恐る恐る受話器を上げ、テレホンカードを入れた。

東京の番号だし、東京に戻ってから掛けようかとも考えたが、待ちきれない。

ゆっくりと記憶の中の番号を押す。

心臓はバクバクと音を立て、受話器の向こうの声が聞こえないのではないかと思うくらいだ。

呼び出し音。

繋《つな》がっている。呼び出している。

五回、六回。

出ないでくれ、と心の中で叫んだ瞬間、がちゃっと誰かが電話に出た。

「はい、――キョクです」

穏やかな中年女性の声。

キョク？　郵便局かしら？

「あの」

時子は思わず声を出してしまっていた。

「ええと、そちらはどこですか？」

我ながら間抜けな質問をしていることに気付く。電話の向こうの声も面食らった様子だ。

「はあ？　ええと、こちらはコトノ薬局ですけれども」

コトノ薬局。薬局だったのか。

「あ、そうですか、すみません、間違えました」

「待って」

慌てて受話器を置こうとする時子の声を、ぴしゃりとその声が遮った。

反射的に手を止めてしまう。

「――暎子さん？」

声が用心深くなった。時子はハッとする。

時子の沈黙を、相手は勘違いしたらしい。

「暎子さんでしょ？　今どこにいらっしゃるの？　何かあったのね？　返事して」

「――違います」

時子は反射的に答えていた。

「私は、拝島暎子の娘の時子です」

今度は向こうが息を呑《の》んだ。

「まあ。じゃあ、暎子さんは。もしかして」

「母は」

不意に、頭のどこかがぷつんと切れるのを感じた。

押し殺してきた不安。孤独。疲労。秘密。

「母は、『裏返されて』しまいました。私はどうすればいいんでしょう」

そう言いながら、時子はいつのまにかすすり泣いていた。

私鉄沿線の駅前商店街の、どこにでもある風景だった。

地域の商店街の地盤沈下が言われているが、そこは人通りも多く、活気がある。十二月だから、飾りつけはクリスマス一色だ。パン屋の店先にはクリスマス・ケーキの予約受付のポスターが貼ってあるし、街灯にはクリスマス・ツリーを思わせるオーナメントが飾ってある。

そして、そんなどこにでもある街角に、コトノ薬局はあった。

店頭ではシャンプーや歯ブラシ、東京都指定のゴミ袋や身体に貼るカイロの特売をし、中にガラス張りの調剤室を設けている、いわゆる街の薬局である。

杖《つえ》を突いた老人が、会釈をして出て行くのと入れ違いに、時子は店に足を踏み入れた。カウンターの中にいた、ぽっちゃりした中年女性が「いらっしゃいませ」と声を掛けてきた。

小柄な、にこやかな女性だ。見た目は若いが、六十歳は超えていそうだ。

時子がためらいがちに会釈をすると、彼女はハッとした表情になった。

「何かお探しで？」

探るような目を、時子は正面から見つめた。

「母が頼んでいたお薬を取りに来たんですけど」

それは、指定されていた台詞だった。

「お名前は？」

「拝島です」

「お掛けになって、お待ちください」

女性はにっこり笑い、店の中に並べたスツールに目をやった。

時子はカウンターに一番近い席に腰を下ろす。

女性は薬の棚で作業をする振りをしながら、低く囁《ささや》いた。

「時子さんですね。大きくなりましたね」

「私のことをご存知なんですか」

時子は世間話をするように、にこやかに顔を上げた。それも、病院で電話を掛けた時に指示されたのだ。

「小さい時に一度、ご家族三人とお話ししたことがあります」

「あなたは私の親戚ですか？」

「遠い親戚というか、仲間というか——長いこといろいろな方を支援してきたんですけれども、ここ数年、この店も見張られているんです」

女性はチラッと外に目をやった。

「誰に？」

「恐らく、暎子さんを『裏返した』人たちです」

「いったいその人たちは何者なんですか」

「それは私にもうまく説明できません。私たちもずっと、あなたたち一家を捜していたんですよ。身に危険が迫っているから、ほうぼうを。でも、見つからなかった。せめて、お父さんが『裏返された』時に連絡をくれていれば。もう仕方のないことですが」

女性は愚痴っぽく呟いた。

「すみません」

時子は反射的に頭を下げた。

「いえ、きっと、暎子さんには暎子さんの理由があったんでしょうね」

女性は慌ててそう付け加えた。

「とにかく、この人に会ってください。日時と場所はここに書いてあります」

「なんて方ですか」

「火浦《ひうら》という者です。一族の中でも、若くて優秀な、今一番頼りにされている人です」

「一族？　その人は、私の親戚なんですか？」

「そうとも言えます」

「そうとも言えるとは？」

「詳しいことはその人に聞いてください。あまりここで説明するわけにはいきません」

「その人は、母を助けてくれるんですか」

「とても強い人だと聞いています。きっと、あの人なら暎子さんを呼び戻してくれます。はい、これ、お薬です」

女は、最後のところだけ声を張り上げた。

内服薬、と書かれた紙袋を受け取る。

「ありがとうございます」

「お大事に。よろしくお伝えください」

店に、二人の男が入ってきた。製薬会社のセールスマン風だが、その割には表情が冷ややかに感じられる。

「いらっしゃいませ」

「風邪薬《かぜぐすり》、あるかな。どうも調子が悪くって」

「眠くならない奴《やつ》を頼むよ」

その口調がわざとらしく、出て行く時子をじろじろ見ていたように思えたのは気のせいだろうか。

見張られている。

時子は顔を背けるようにして、そそくさと店を出た。

足早に商店街を通り抜け、誰もついてこないことを確認してから、近くのコーヒーシヨップに入り、そっと紙袋を開けた。

ザラザラしたメモ用紙が畳まれて入っていたので、もどかしい手つきで開く。

十二月十九日、金曜日。夜十時。

そこには、書きなぐったような文字で、この春都心にオープンした巨大商業施設の中の、美術館の名前があった。


絵を見るのは子供の頃から好きだった。

一対一で絵と向き合って、その中から吹いてくる風や、漂ってくる気配に浸るのは楽しい。

以前は展覧会もよく見に行ったが、最近は億劫《おっくう》だった。人気のある展覧会など、混んでいる場所に出るのが年々億劫になる。それはもちろん、「あれ」に出くわす可能性を少しでも減らしたいがためだ。

母は脳の変質について考えていたようだが、時子は違うことを考えていた。

物理的なことは分からないし、もしかして、母の考えていたことを別の方向から見ているだけなのかもしれない。

だけど、ひょっとして、ひょっとしたら。

そう考えると、息苦しくなる。

時子は絵に意識を集中させた。

華やかな観客たち。

最先端の場所にいるという自信と興奮が、周囲の気温を上げ、人々の表情を輝かせる。

巨大な絵や、オブジェが続く。

さっき寒空の下で見たブロンズ像がちらりと脳裏を過《よぎ》ったが、慌てて打ち消した。

エレベーターで一緒だったカップルを見かけて、胸のどこかが鈍く痛む。

あたしは、周りから見るとどんなふうに見えるのだろう。

恋人と待ち合わせている女？　恋愛など構わず、一人でどこへでも行き、人生を楽しむ女？　それとも——

今夜の服装にも迷った。年の瀬の人気スポットでみすぼらしい格好をしているのも嫌だったし、かといって着飾るのも変だったので、結局はシンプルな紺のワンピースにした。初対面の人に会い、頼みごとをするのだから、ある程度きちんとしていったほうがいいだろうと思ったのだ。

時刻はもうすぐ約束の十時だ。

この美術展は、休前日は午前零時まで開いているらしい。だから、客の波もいっこうに引く気配がなく、とても夜の十時になるところだとは思えなかった。

あのメモには、一つの作品ナンバーとタイトルが書き添えてあった。

恐らく、その絵のところに火浦という人物が来ているのだ。

再び緊張が募る。

言われるままにここに来てしまったのだが、本当に火浦なる人物はあたしの疑問に答えてくれるのだろうか。そして、お母さんを救う救世主となってくれるのだろうか。

丁寧に、一枚一枚作品のプレートに書かれたタイトルを読んでいく。

ふと、正面に、壁いっぱいの巨大な絵が見えた。

赤、ピンク、黄色と、パステルカラーのカラフルな色彩がひときわ目を引く。

「しあわせ」、か。確かに幸福というのはパステルカラーのイメージだ。

絵のタイトルの書かれたプレートを探そうとして、時子はその絵の前に佇んでいる人影に気付いた。

周囲から浮き出しているような、黒い影。

黒のスーツ、あまりムースをつけていない黒髪。

さっきの人だ、と気付く。

無表情で黒曜石のような瞳《ひとみ》を思い出す。

やはり、その輪郭は他人を拒絶する冷たさに縁取られている。

この人も一人で来ているのか。もしかすると、この中のオフィスに勤めているのかもしれないな。この人なら、ふらっと週末の夜に現代美術を見に来ていても違和感はないような気がする。

時子はそっと絵のそばのプレートに近付き、ハッとした。

そこに、メモに書かれたナンバーとタイトルがある。

これが。

時子は、その巨大な絵を見上げた。大きいけれども、単純な絵柄で、印刷のように均一に絵の具が塗られている。そのせいか、大きさには圧倒されるものの、長い間絵の前に惹《ひ》きつけられる客は少なかった。

時子はさりげなく周囲を見回した。

どんな人なんだろう。苗字《みょうじ》しか聞いていない。若い、優秀な人だとしか。

時子はじりじりしながら待った。時間は刻々と過ぎていく。

どうしたんだろう。何かあったのだろうか。あの薬局に見張りがついているくらいなのだ。その人にもきっと――

次の瞬間、時子は反射的に背筋を伸ばしていた。

まただ。誰かが見ている。

さっきと同じ。

弾《はじ》かれたように、時子は振り向いていた。

黒い輪郭。

あの青年が、絵の前でこちらを見ている。まさか。

「火浦――さん？」

「やはり君か」

黒曜石のような目の青年は、抑揚のない声で呟いた。

二人はパステルカラーの巨大な絵の前で向き合った。

「エレベーターの中で、そうじゃないかと思ってたんだけど」

その声は、低く滑らかだった。

が、目は何も見逃すまいというように時子をじっと見つめている。

「君は――相当強いね。そうだよな、両親から受け継いでるんだから。しかも、あの拝島さんから」

時子は思わず後退りをしていた。が、火浦は一歩前に出て距離を詰めてくる。

「あなたも？」

つい怯えた声になってしまう。火浦は頷いた。

「ああ。『洗濯屋』だ」

「『洗濯屋』？」

「そう。君の両親は、その言葉を使ったことは？」

「いいえ」

「洗って、叩《たた》いて、乾かす。そして白くする」

「じゃあ、あなたは母を呼び戻すこともできるの？」

火浦は思いがけない、というような表情になり、かすかに首をかしげた。

「呼び戻す、か。話には聞いたことがあるけど、まだやったことはないな」

「そうですか」

時子は落胆する。

「だけど」

火浦は、何かを思いついたように顔を上げた。

「君にはできるはずだ。君のお父さんは、何度も呼び戻していた」

「父を知っているんですか」

「間接的にだけどね。なにしろ、君のお父さんは強かったから」

「母は何も教えてくれませんでした。あなたは私の親戚なんですか」

「遠い親戚みたいなものだね」

「あたしたちは誰に見張られているんですか。どうして見張られてるんですか」

火浦はくすっと笑った。

その顔が笑っているのだと気付かなくて、彼の見せた歯にぎくっとする。

「本当に、何も聞かされてないんだね。拝島さんが、一族から離れた理由も？」

「一族から離れた？　じゃあ、他にもあたしたちみたいな人がいっぱいいるんですか？」

今度は時子が詰め寄った。

火浦は宥《なだ》めるように小さく手を振った。

「順番に話すよ。だけど、とてもじゃないけどこんなところで話しきれるようなものじゃない。作品をさっさと見て、どこかでゆっくり話をしよう」

「はい」

そう言われると、何も聞けなくなってしまう。

これから。ちらっと時計を見ると、もう十時半だ。電車があるうちに帰れるだろうか。

いや、聞きたいことは沢山あるし、それを全部聞くまでは帰れない。

「こっちに面白いビデオアートがある。せっかくだから見ていきなよ」

「はあ」

火浦は先に立ってどんどん歩いていく。

若くて優秀な人なのだろうが、些か強引だ。しかも、母は今も眠っているというのに、

「せっかくだから」も何もないものだ。

白い壁で囲んだ大きな箱のようなものが見えてきて、火浦はそこに入っていった。

「おいでよ、綺麗だよ」

時子も続いて足を踏み入れ、中の色彩に棒立ちになる。

そこには、壁面といい、床といい、デジタル映像の中で次々と花が咲いていた。

人工生命体の花。見たこともない、絢爛《けんらん》たる花が育ち、咲き誇っては散ってゆく。

「綺麗だろう」

火浦は、部屋の隅に立っていた。

花の上に立っている黒いスーツは、楽園に紛れ込んだ禍々《まがまが》しい生き物のようだ。

なんて連想をするの。彼はあたしの親戚なのに。

後悔しかけた時に、パッと映像が一斉に切り替わった。

「ほら、これも綺麗だろう」

六つの平面に広がる銀色のうねり。

これは。

時子は、頭の中が真っ白になるのを感じた。

足の下に、何かでこぼこしたものが当たる。

「ねえ、君の好きなものはこれじゃないのかい？」

火浦の声が聞こえる。

あんなに離れたところに立っているのに耳元で。

冷たいものが、足元に伸びてくる。いや、筍《たけのこ》のように、床から何かが生えてくるのだ。

見ちゃいけない。見ちゃ駄目。

だが、冷たい感触が、ふくらはぎに当たる。床だけでなく、天井や壁から、冷たくて存在感のあるものがじわじわと育ってくる。

「さあ、見てごらんよ」

火浦の声が囁く。

見ちゃいけない。見たらあたしは、
しかし、時子は足元を見下ろしていた。

「裏返されて」しまう。

床には、銀色のボウリングのピンがずらりと並んでいた。まるで生き物のように、次々と鈍い光を放ちながら生えてくる。

それらには、見下ろす時子の顔が万華鏡のように映っていた。

大小さまざまに歪《ゆが》んだ数十個もの自分の顔を見た瞬間、時子は母が冷蔵庫からメモを剝がしていった理由を悟った。

あの番号に電話を掛けてはいけない。

それが、母が残していったメッセージだったのだ。

第二章　十二月五日　金曜日

夫を見た。

暎子の頭の中では、ここ数週間、そんな文章が何度も繰り返されている。

真剣にその内容について考えている、というわけではない。しかし、気が付くといつのまにかそう思い浮かべている、という感じなのだ。

夫を見た。

改めてその一文を反芻《はんすう》してみる。

これは彼女の人生にとって、しかも娘との生活にとって、非常に重要で影響のある出来事のはずだ。だが、今はなぜかふわふわした、実感のない、他人事《ひとごと》のような印象しかないのだった。

慣れてしまったのだろうか。

暎子は冷めた心で考えた。

もはや、夫の不在は彼女の中で大きな存在感を持ち、共に過ごした歳月よりも、心の中の慣れ親しんだ位置を占めているのだ。長年その不在にあらゆる感情をぶつけてきたことを考えると、ただ夫らしき人物の姿を見たくらいでは、心は動かないのかもしれない。

暎子は朝の部屋の中で、夫の不在と同じくらい長年の習慣になっている、朝の一服の儀式を執り行っている。

ここ数日、娘は留守にしている。

大学のゼミの旅行に行っているのだ。

あの時子が大学生で、もう卒業だなんて。

そう考えると感慨深いものがある。こうしてずっとこの薄暗い朝のキッチンの椅子《いす》に腰掛けていたような気がするのに、あっというまに十年以上の歳月が経ってしまったなんて。

ふと、煙草《タバコ》を持っている手が目に入った。指の皺《しわ》が深くなり、かさかさして水分を失っている。ついこの間までは、ふっくらとした、すべすべした真っ白な手だったのに。次に気が付く時は、しわしわで黄色くなり、茶色の染みが点々と浮かんでいるのだろう。

暎子は一人で苦笑した。

キッチンの椅子の上には、いつものハンドバッグの他に、小さな旅行バッグが置いてある。部の研修旅行。管理職である彼女は、最終日の宴会に合流し、挨拶《あいさつ》することが求められているが、顔を出すことが大事なのであって、別に旅行そのものには参加する必要はない。さっさと宴会から退散して、部屋で眠ればいいだけのことだ。

それに、彼女には、今回は別の目的があった。

たまたま、その目的地が研修旅行先の近くだったのは偶然だろうが、そのせいですっかり研修旅行のことは心の隅に押しやられていた。

本当にそんな場所が存在するのだろうか。

暎子は半信半疑だった。

「洗濯屋」のところ。

のろのろと灰皿に灰を落とす。

「洗濯屋」の噂《うわさ》は、子供の頃に聞いたことがあった。けれど、実際に会ったことはないし、会ったという人の話もあまり聞いたことがない。もっとも、暎子の一家も夫の一家も一族とは距離を置いて暮らしてきたので、情報が少なかっただけかもしれない。

「裏返された」人間を「洗う」。

それがどういうものなのか、暎子は知らなかった。「裏返し」返すのとはまた違うらしい。

ぱたり、ぱたり、と音がする。

ああ、また。

ずっと昔から聞いてきた音だ。

瑛子のイメージでは、彼女たちの世界は紙のオセロ・ゲームだ。紙で出来た駒《こま》は、白の駒と黒の駒が貼《は》り合わさってできている。瑛子たちは、遥か昔から、いつもこのオセロ・ゲームを繰り返しているのだ。白になるか、黒になるか。ある日突然、「裏返し」たり、「裏返され」たり。

現在、盤面はどのようになっているのだろう。

瑛子は時々そんなことを考える。

白が優勢なのか、黒が優勢なのか。果たして自分たちはどっちに属しているのか。もしかして、最後の駒なのかもしれぬ。自分たちが「裏返され」たら、黒一色、もしくは白一色の世界となってゲーム・オーバーとなるのかもしれない。その時、世界は秩序を取り戻すのだろうか。それとも、暗黒時代を迎えるのだろうか。

「洗濯屋」の仕事は、この紙でできたオセロの駒を、中央で剝《は》がしてしまうようなものだと瑛子は想像していた。白黒一体だった駒を、白の駒と、黒の駒とに分けてしまうのだ。だから、もはや「裏返し」たり「裏返され」たりということもなくなるし、かつての記憶も持っているが、もうそういった世界を体感することもなくなり、共感もできなくなる。

それはそれでいいのではないか。

暎子は漠然とした憧《あこが》れを感じる。何も感じない、恐怖のない、平凡な日常。

時子と二人、「洗濯屋」に行ってまっさらになり、平凡な人生を送っていけたら――

暎子は灰皿に煙草を押《お》し潰《つぶ》す。

本当は、彼女には、そんな人生を想像することができない。そして、実際そんな人生を送れることなどないと彼女自身が確信していることを、心のどこかで知っているのだった。

暎子は溜息《ためいき》をついて立ち上がり、コートに向かって手を伸ばした。


「あのう――人違いでしたら申し訳ありませんが、拝島暎子さんじゃございませんか」

おずおずとした声を掛けられて、暎子はハッと我に返った。

が、ここですぐに反射的に振り返ってはいけないということは長年の経験から身体《からだ》に染み付いているので、暎子は頭の中を遮断モードにしてからゆっくりと声の主を振り返る。

なにしろ、ここはピカピカの新築ビルの、上階にある外資系ホテルのレストランだ。

最近オープンした商業施設の目玉のフロアなので、平日の昼間なのに他の宴会場も皆埋まっていて、廊下を華やかな声が行き来する。暎子の会社が大事な顧客を集めてお願いごとをする場所であり、偉い人もいろいろ来ているので、不特定多数の人間と嫌でも顔を合わせなければならない。

ガードを固めて振り向いた暎子の前には、予想外の人間が立っていた。

小柄で華奢《きゃしゃ》な老婦人。クリーム色のスーツを上品に着こなしている。

見た目より実年齢が高い。日々社会に接していることが窺《うかが》われる、世慣れた手堅い表情が作られている。

「裏返される」類《たぐい》の人ではない、とすぐに気付いたが、同時に奇妙な懐かしさも感じた。

「はい？　拝島でございますが」

暎子はつっけんどんにならないように返事をした。しかし、目の前の女性の名前は思い出せない。懐かしさは気のせいだろうか。人の顔と名前は忘れないほうなのだが。

老婦人はホッとしたように胸を撫《な》でた。

「ああ、やっぱり。お変わりなくて。いえ、暎子さんのほうは覚えてらっしゃらないと思うのですが、昔、ご家族三人でいらっしゃるところに伺ったことがあるんですよ」

「まあ」

暎子は驚いた。まだ夫がいた頃の話だ。いったいいつ。どこの誰だろう。

記憶の中の名簿からそれらしき名前を取り出してみるが、どれもあてはまらない。夫の親戚《しんせき》？　それともあたしの？

しげしげと老婦人の顔を見ていると、彼女はふっと目を逸《そ》らした。

暎子は慌てて頭を下げた。

「すみません、じろじろ見てしまって。ええと、失礼ですが、お名前お伺いしてよろしいですか。申し訳ありません、お名前失念してしまいまして」

「あ。そんな。いいんです。たぶん、ご存知ないはずですから」

老婦人は曖昧《あいまい》な表情で奇妙な返事をした。

「はあ？」

暎子が間の抜けた声を出すと、老婦人はそわそわし始めた。

「すみません、廊下でたまたまお見かけして、あまりに懐かしくて、よそ様のところについ入り込んでしまいました」

彼女は周りの客を見回し、逃げ腰になる。

もっとも、周囲の客は、暎子と彼女の対話など誰も気付いていない。そこここで「やあ、どうもどうも」「ご無沙汰《ぶさた》しておりまして」という営業用の馴《な》れ合った笑い声が響いている。

「あの、どこでお目に掛かったんでしたっけ？　主人をご存知で？」

暎子は急いで尋ねる。

が、老婦人はもう身体の向きを変えていたし、暎子の質問に答えることなく動き出していた。ふと立ち止まり、さっきと同じ奇妙な表情で暎子を見る。

「ご主人は――」

そう言い掛けて、口ごもる。

その目が迷いに揺れた。

この人は、夫の失踪《しっそう》を知っている。

暎子はそう確信した。そして、その理由も知っているに違いないのだ。

暎子が口を開こうとすると、彼女は先回りした。

「私、ご主人を今年の夏に見ました」

「えっ」

あまりに思いがけないことを聞いたので、暎子は無表情になってしまった。

「どこで？」

そう尋ねる自分の声が、あまりにも間延びしていて、自分のものとは思えない。

「それは」

そう言って、老婦人は声を潜めた。

「あの、『洗濯屋』のところで」

「『洗濯屋』？」

いっそう思いがけない言葉が返ってきて、暎子は絶句する。記憶の底から、蘇《よみがえ》ってくる言葉。洗って、叩《たた》いて、白くする——

ごっ、とマイクのスイッチを入れる音がして、暎子と老婦人はハッとした。会場に散っていた客たちがわらわらと正面の演台の前に集まっている。

「じゃあ、私はこれで。お邪魔してすみません」

老婦人は早口になった。

「待ってください。お名前を」

食い下がる暎子に、老婦人はとりあわない。

「電話してください」

「え？」

「あの番号に電話してください」

老婦人はそう言うと、軽く会釈してサッと部屋を出て行った。

電話してください。

暎子の脳裏に、冷蔵庫のトースターのマグネットが浮かんだ。

ずっと貼ってある番号。そんなことまで彼女は知っているのだ。いったいなぜ。

暎子は、慌てて廊下を覗《のぞ》き込んだ。

老婦人が、早足で、廊下の奥の別の部屋に入っていく。周囲を黒い制服を着たスタッフがきびきびと歩き回っていた。

何の部屋だろう？　あそこもかなり大人数を収容できる部屋のはず。

暎子はそっと廊下に出て行くと、部屋の前の立て札に印字された文字を見た。

「リハビリテーション学会　分科会A」

リハビリテーション。医療関係者なのかしら。

暎子はその名前を頭に刻み込んだ。

後ろから拍手が響いてくる。あの女性を捜し出して、いろいろ聞きたいことはあったが、お客を放っておくわけにいかない。

暎子は後ろ髪を引かれながらも、会場に戻った。


暎子は、冷蔵庫の前に立って、ぼんやりとその電話番号を眺めていた。

トースターのマグネットの下にある、小さなメモ。

電話してください。

頭の中に、あの老婦人の声が響く。

いったいなぜ、今ごろになって。

帰宅してからも、暫《しばら》く着替えもせずにキッチンに立ち尽くしていた。

このメモを見る度に、これは消火器や救命胴衣みたいなものだ、と考えるようになっていた。実際に使ったこともないし、この先使うこともないだろうけど、とにかく設置しているだけで気休めになるもの。使う段になると非常に抵抗があるし、パニックになってろくに使いこなせず、ああ、なぜ練習しておかなかったんだろうと後悔しつつも、もはや使わなければ一刻一秒を争い、命に関わる最悪の状況を迎えている——そのようなものなのだ、と。

ずっとあの老婦人とどこで会ったか考えているのだが、全く思い出せない。

ご存知ないはずですから。

あの言葉もなんだか変だ。彼女は、あたしに自分の名前を教える気が全くなかった。

洗って、叩いて、白くする。

これは誰から聞いた言葉だったろう。ずっと昔、ひょっとして子供の頃？

暎子は三十分近く冷蔵庫の前に立っていたことに気付き、慌てて着替えをし、顔を洗った。時子はサークルの飲み会だ。娘が大学生になるということは、一緒に食事をする機会が減る、ということでもある。まあ、こうして動揺して何かを考え込んでいる時に、母親の精神状態に関しては異様に勘のいい娘がそばにいないのは有難いことでもある。

昼間のパーティが長かったのでいろいろつまんでしまい、食欲はないが、中途半端な時間なので、夜中にお腹《なか》が空《す》きそうだった。冷凍のうどんを温めることにする。冷蔵庫に残っていた長ネギを刻んでいると、不意に激しい動揺が身体を突き上げてくるのを感じた。

なんだ、これは。

ご主人を見ました。今年の夏。

暎子は、庖丁《ほうちょう》を持った自分の手が震えているのを見る。

ご主人を見ました。今年の夏。

あたしは何をこんなに動転しているのだろう。

震える手で、刻んだネギをうどんの上に振り掛ける。

もちろん、あたしは知っていたではないか。あの人が浮気や放浪心からいなくなったりしたわけではなく、誰かに「裏返された」のだと。ましてや、死んでいることもなく、どこかで元気に生きて暮らしているのだと、ずっと知っていたではないか。

だけど、こんな。

暎子はだしの香りのする湯気に泣きたい気分になる。

こんなふうに、一人でうどんを食べながらこんな気持ちになってしまうとは思いもしなかったのだ。

暎子は、丼《どんぶり》を前に再びぼんやりした。

どこかであたしは信じていなかったのではないか。

冷静な自分がどこかで呟《つぶや》く。

本当は単なる浮気。もしくは旅心。全てを放り出したくなって蒸発してしまった夫を、「裏返された」だの、連れ去られただの、いつか取り戻せるかもしれないなどと自分に説明していたのではなかったか。単に捨てられた女という屈辱から自分を守るために嘘《うそ》をついてきたのではないか。

思えば、何度同じことを考えただろう。

暎子は溜息をつき、うどんを啜《すす》り始めた。

夫の失踪は、その本当の理由はなんであれ、暎子をずっと傷つけ、侮辱し、苦しめてきた。その理由が、大昔からの因縁によって、他人には理解できない幻術にたぶらかされたからだと説明できるはずもなく、そういう二重の孤独とも一人で格闘してきたのだ。

あまりの孤独に、しばしばそれは彼女に、自分の能力や資質について疑念を抱《いだ》かせるようになっていた。

すべては自分の作り出した幻想かもしれない。

そう疑うようになったのは、いつごろだったろう。

夫がいなくなり、それにもようやく慣れ、娘と二人の生活サイクルができあがった頃。

やっと周囲もその事実に馴染《なじ》み、こそこそ陰口を叩いたり、同情の目で神経を逆撫でするこことがなくなってきた頃。

ひょっとして、すべてあたしの思い込みなのではないか。

ふと、そんな恐ろしい疑念が唐突に心に忍び込んだのだ。

そう、あれも、料理をしている時だった。

チョコレートケーキだった。娘に惨《みじ》めな思いをさせたくなくて、彼女が喜ぶような手の込んだケーキばかり作っていた時期があったのだ。

料理というのは、ほとんど無意識のうちに身体がタイムテーブルを覚えていて、時々全く何も考えずに、身体だけが動いていることがある。

そんな時に、意識の中に普段心の底に押し込めているものがふうっと浮かんできて、しばしばひどく驚かされるのだ。

捨てられたのかもしれない。

あの時も、突然そんな考えが風船のように頭に浮かんでぎょっとした。

あの人は、あたしと娘を捨てたのだ。

それは確信に近く、頭の中に鐘のように鳴り響いた。

なのにあたしは、「裏返された」だの、なんだの言って、自分を騙《だま》してごまかしてきたのだ。

足元が揺らぐような恐怖を覚えた。

周囲から、あたしはどう見られているのだろう。自分では子供の頃から戦ってきたし、夫も同じように戦ってきたと思っていたけれど、それは大嘘で、夫が失踪したショックでそう思い込むようになっていたのだとしたら？　全てはあたしが作り上げた妄想だとしたら？

心臓がバクバクいっていた。

聞いた？　あちらの奥さん。

誰かの声がする。

ええ、あのお気の毒な、ご主人がいなくなっちゃった拝島さんでしょ？

ねえ、あの奥さん、このあいだ話をしたら、へらへら笑ってたわよ、それがね、なんだかおかしなことを言うの。自分たちは昔から邪悪な存在と戦ってるんだって。本当は特別な一族なんだって。うちの主人もそいつらに洗脳されて、連れていかれちゃったんだって。実はあたしも毎日戦ってるんです、って真顔で言うの。いつか主人を奴《やっ》らから取り返すために今は修行をしてるんだって。

あらまあ、それはねえ。お嬢さん一人抱えて、大変でしょうし。

あんなに似合いの夫婦で、お嬢さんもしっかりしてて可愛いし、仲良しに見えたけど、男の人ってどこに不満があるか分からないものねえ。奥さん、やり手で、あの若さでもう幹部候補生なんですって？　男って、理解のある顔をしててもプライドってものがあるからねえ。出世する妻を内心面白く思わない人って多いから。

でも、びっくりしちゃったわよ、洗脳されて連れていかれちゃった、だもの。さっきもスーパーで見かけたら、危ない、あそこに奴らが紛れ込んでるってあたしの耳に囁《ささや》くのよ。どういう顔したらいいか分からなくて、困っちゃった。

きっとそういう考えにでもすがりつかないと、やっていけないんじゃないの。可哀相《かわいそう》にねえ。

お嬢さんはどう思ってるのかしら。

誰かの囁き声が聞こえてくる。ひそひそ、ひそひそと小鳥のさえずりのように甲高くなってゆき、しまいには超音波のように感じられる。

そうだったのか。

当時の暎子は、ほとんどその声を信じかけていた。

ああ、あたしは自分を守るためにそう思い込んでいただけなのだ。

頭の中で何かがぐるぐる回っていたことを覚えている。

あの時、時子がエプロンの裾《すそ》を引っ張らなかったら、あのまま自分は絶望の淵《ふち》に落ち込んで戻ってこられなかったかもしれない——あの時、娘があたしに話し掛けてくれなかったら——

今でも、当時の心境を考えると背筋がぞくっとする。

そして、あの日が来た。

時子が高校生になって、あたしが会社の廊下で「あれ」と出くわした時に、彼女があたしを助けに来た記念すべき——そして弔うべきあの日。

あの時の安堵《あんど》と絶望は、一生忘れることはできない。

自分は正気であった、やはりこれまでのことは妄想ではなかったという安堵と、娘も自分と同じように、この先やはり彼女自身の正気を疑いながら生きていくのだという絶望と。

しかし、仲間が増えてもなお、周期的に自分の妄想なのではないかという疑念は繰り返し襲ってくる。脳に関する研究について興味を持つようになったのも、つまりはこれが自分の頭の中だけにある妄想なのではないかと常に心のどこかで疑っているからなのだ。

そして今、妄想ではないと思い知らされ、これまで自分の支えにしてきた、そのくせ心のどこかでは信じ切れなかった事実と直面せざるを得なくなって、こうしてうどんを食べながら情けなく動揺しているというわけなのだ。

あの人が生きている。

のろのろとうどんを食べながら、暎子は改めてその事実を思う。

電話してください。

やはり、単純な失踪ではなかった。あの人は連れ去られたのだ。

暎子はそのことを意外に思っている自分に気付いていた。また、自分に話し掛けてきて余計なことを言い、こうして自分を動揺させている、あの老婦人を迷惑に思っていることにも。

何も言わずにそっとしておいてくれればよかったのに。

正直、彼女が恨めしかった。

どうすればいいのだろう。あの人を捜し出すべきなのか。今のあの人はどうなっているのか。あたしのことを認識できるのか。それとも理解不能のモンスターになってしまっているのか。

空になった丼を流しに運びながら、ふと別の考えが浮かぶ。

ひょっとして、彼女はあたしを責めていたのだろうか？

あの奇妙な表情を思い出す。決して名乗ろうとしなかった彼女。「電話してください」と繰り返した彼女。

夫からさんざん言い含められていたのに、十年以上も夫を捜そうとしなかった女。連絡先まで聞いていたのに、結局何も解決しようとしなかった女。

彼女のあの表情には、言外にそういう非難が込められていたのではなかったか。

そう考えると、顔がひりひりするような恥ずかしさが襲ってきた。

不思議なことに、これまでそんなことはちっとも頭に浮かばなかった。あの人がどこかであたしの助けを待っているとか、誰かに助けを求めてあの人を取り戻そうとか、そんなイメージは全く湧《わ》かなかった。

それほどあの人は強かった。あの人も、あたしがあの人を助けられるとは思っていなかった。だから、ここに電話しろとは言ったけれど、もしもの時に助けに来てくれとは一度も言わなかったのだ——

電話してください。

あのきっぱりした口調が蘇る。

暎子はキッチンのテーブルに座り、まるで気味の悪い虫がそこに止まっているかのように、冷蔵庫に貼ったメモをじっと見つめ続けていた。


「よかったね。健康健康。綺麗なもんだよ。俺《おれ》は真面目《まじめ》な話、腫瘍《しゅよう》か何かを疑ってたんだけど」

ほっとしたような友人の顔を見て、暎子は逆に割り切れない気分になった。

「なんだよ、その疑い深い目は。ちゃんと検査はしたよ」

高橋伸久は、暎子の表情を見て渋い顔になる。

「うーん。ありがとう」

「何かあると思ってたの？」

写真とデータをめくりながら、彼は探るような目つきでこちらを見る。

「まあね」

「またおいでよ。この分野はどんどん進歩するから、機械はすぐにバージョンアップする。ここ数年で、もっともっと精度は上がっていくだろうし」

「でしょうね」

気のない返事に、高橋は不満そうだ。

実は、この脳ドックの検査に、暎子はかなり期待していた。

何か自分の脳には常人と異なる部分があるのではないか。この優秀な友人に、これこれここがこう違っててね、ここにはこういう知覚と認識を司《つかさど》るところがあって、だからそんなものを見るんだよなどと、明快に説明してもらえるのではないかと。

「——なあ、あれ、まだ見るのか」

高橋は、少しして真顔で尋ねた。

「ううん、今はほとんど」

暎子はそう答える。半分本当であり、半分嘘だったが。

高橋伸久とは高校時代からの友人だ。昔から互いにそれぞれパートナーがいて色恋沙汰はなかったのに、なぜかうまが合って、今では年に一度か二度会えればいいほうだが、再会して話をするといつもほっとする。

彼は昔から優秀だったが、医学部を出てアメリカにも留学し、脳外科の手術の分野では若くして名を知られ、まだ四十代のうちに日本の有名私立大学に部長クラスで迎えられている。

飄々《ひょうひょう》としていて、先入観を持たず、常に柔軟なスタンスを保っているこの友人を、暎子は尊敬していた。だからこそ、昔からぽつぽつと自分が「見ているもの」について話してきていたのだ。

もっとも、「裏返す」「裏返される」だの、オセロ・ゲームのごとく特定の存在と戦っているなどという話はしていない。彼女が説明していたのは、どうやら遺伝的に、うちの家族はしばしば人間を無機的な物質として認知してしまうようだ、という程度だ。

高校生の高橋は暎子の話に強い興味を覚えたらしい。

俺が脳外科を選んだのは、暎子の話を聞いてたせいかも、とあとになって彼はそう打ち明けたものだ。

ひょっとして、こんにちの俺があるのは暎子のお陰かもね。

そう笑い合ったこともある。

すっかり偉くなってしまったが、いつも心のどこかで暎子のことを気に掛けてくれていたらしく、彼のほうから今度かなり精密な脳ドックを実施するのだが、受診してみないかとお膳立《ぜんだ》てしてくれたのだった。

実際、彼は脳の特定の場所に腫瘍ができやすい体質が、特定の部分を圧迫してそんな感覚を起こさせるのではないかと疑っていたらしい。彼が暎子の脳を丁寧に見てくれたのは明らかだった。

だから余計に暎子は落胆していた。

やはり分からないのか。説明できるものではないのか。

とにかく彼女は腑《ふ》に落ちる説明を求めていた。おのれの妄想を疑う歳月にうんざりしてしまい、これこれのせいだと納得できる答が欲しかったのだ。

「まだまだだなあ、俺も」

高橋は首を振った。

「ごめんね、せっかく便宜図ってくれたのに」

「いいや。何かの疾患じゃないことが分かって、少なくともその点では俺は安心したよ」

「そうよね。健康だと言われたんだから、喜ぶべきよね」

「まあ、幾ら研究が進んできたとはいえ、まだまだ脳は未知の宇宙だからな」

高橋は手に持ったボールペンをくるっと回した。

「知覚って、そんなに絶対的なもんじゃないんだよ。もっと流動的で相対的。見える、見えない、と一見絶対的に思えることだって、実は精神的な部分がかなり支配してるんだよな」

「人間、見たくないと思えば見えないっていうんでしょ」

そうした事例はこれまでもよく聞いてきたし、暎子自身いろいろな本を読んで知っていたことだった。歳《とし》を取ったことを認めたくない女優は、鏡の中に全盛期の美女を見る。子供の存在を認めたくない母は子供が枯れた植木鉢に見える。

逆に、見えないものが見えてしまうこともある。親に虐待されている孤独な子供がクローゼットの中に見つける、自分そっくりの友達。会社で無視されている男が帰り道でいつも一緒になる優しいガールフレンド。彼らには実際その存在が見え、本当に言葉を交わしているのだ。

「見たいものを見るんなら、まだ分かるのよ。でも、見たくもない、存在も知らなかったものを唐突に見るっていうのが解《げ》せないわ」

暎子は無性に煙草が吸いたくなったが、ここは病院だ。じっと我慢する。

「うーん。でもねえ、君らの場合、一定のパターンがあるよね。みんながみんな、全く同じものを見てるわけじゃないというのが面白い。絶対的じゃなくて、個人による。しかも、子供の頃に嫌な体験をしたことで見えるようになる。この辺りにヒントがありそうな気がするんだけど」

「ヒント？」

「うん」

高橋は腕組みをして身を乗り出した。

「何か君たちの家族はみんな特定の作用を持っていて、何かのスイッチが入った時に、最初に刷り込まれた記憶にそれが置き換えられちゃうんじゃないかなあ。そのスイッチが、強い嫌悪とか恐怖なんじゃないかな」

「どういうこと？」

暎子も前のめりになる。

「喩《たと》えていえばなんだろう」

高橋は膝《ひざ》の上で頬杖《ほおづえ》をついた。何かを熱心に考えている時の癖だ。

「うーん。そう、試薬みたいなものかな」

「しやく？」

「リトマス試験紙とかさ」

「ああ」

「きっと、何か特定のものに反応するようになってるんだよ。その、最初に反応した時の記憶がそのまま定着するんだ」

「特定のものって何？」

「さあ。それが分かれば、きっと解決さ。特定の物質か、エネルギーか、それ以外の何かか」

「アレルギーとは違うの？」

「違うと思うな。身体の中に入れるわけじゃないから」

試薬。その言葉に暎子はひやりとした。

当たっている。あたしたちは、何かに反応するよう運命づけられているのだ。

干し芋。植物。ボウリングのピン。

暎子はゾッとした。

みんなが違うものを見ている。人は見たいものだけを見て、見たくないものは決して見ない。

あたしたちが反応するそれは、ひょっとして、決して見たくない、見たことを否定したい、あまりにもおぞましいものなのではないか。だからあたしたちは他のものにそいつを置き換え、知っている別のものとして見るようになったのだ。

あたしたちと関わりのない第三者、絶対的な存在がそれを見た時、そいつはいったいどんな姿をしているのだろう？

暎子は底知れぬ恐怖を感じた。

全く理解不能の、見たということを認識できぬほどの形状をした存在。そういう存在を思い浮かべようとしても、頭の中には、どんよりした鈍い暗黒が広がっていくだけだ。

そんなものとあたしたちは戦ってきたのだろうか。

この先も戦っていけるのだろうか。

「時間と資金があったらゆっくり調べてみたいよなあ」

暎子が感じている恐怖には気付かない高橋が、何度も残念そうに首を振る。

「君らもだけど、その無機質に見えるという対象者たちに共通点があるのかを知りたいよね。何か共通の肉体的性質があるのかもしれない。今日び、そういうのって個人情報とかプライバシーの問題でどんどん調べにくくなってるけど」

「そうだね」

暎子は弱々しい微笑を浮かべ、そう答えるのがやっとだった。


病院を出ても、高橋の言葉は繰り返し頭の中で鳴り響いていた。

試薬。

特定の物質か、エネルギーか、それ以外の何かか。

脳ドックの検査結果はなんともなかったが、彼との話は有意義だった。彼の説明は、ある意味で暎子を納得させたのだ。

そうか。反応なのだ。

暎子はトレンチコートのポケットに手を突っ込んで前屈《まえかが》みで歩く。

生物が自分の天敵には敏感に反応するように、何かにあたしたちは反応しているだけなのだ。しかも、反応しているものを説明する言葉をあたしたちは持ってこなかった。だから、理解できる身の回りのものにそれを置き換えて認識していたのだ。それならば、自分たちの見てきたものの説明がつく。

では、「裏返す」とは？　それはまた別の化学反応なのか？

それについて考えると、また分からなくなってしまう。これまで話したことはなかったけれど、いつか高橋に「裏返す」という現象を説明して、次の答を出してもらおう。

そう考えると、かなり気が楽になった。

気持ちを切り替えて、会社に戻るため地下鉄の駅への階段を降り始める。

ホームは空いていた。この時間の地下鉄は空いているから気分的に安心だ。

いつもしているように、ホームの隅で、なるべく他人と目が合わないようにして立つ。

電車の到着を告げる、ゴーッという生ぬるい風がトンネルの奥から吹いてきた。

風はやがてパアンという警笛に変わり、強い風が髪を掻《か》き乱した。

髪を押さえて顔を上げた瞬間、何かちくっと痛いようなものを感じる。

目の前を通り過ぎる電車の車両。

今のはなんだろう。

疑問を感じながら、電車が止まるのを待つ。

シューッと開く扉。降りてくる乗客。駅のアナウンス。

もやもやした感覚を味わいながら、電車に乗り込み、隅の席に座る。

閉まる扉。警笛を鳴らし、動き出す電車。

何気なく顔を上げた暎子は、向かいのホームに立っている若い男に気が付いた。

反射的に全身が硬直している。

誰?

その男は、ひたと暎子を見据えていた。鋭い視線。気のせいではない。あたしを見ている。さっき感じたのはこの視線なのだ。

黒髪、黒目がちの目、ボタンを全部かっちりと留めた黒いスーツ。

黒ずくめのその男は、そこだけ輪郭が周囲から浮かび上がってみえた。

知らない男だ。かといって、「裏返される」恐怖も感じない。

単なる偶然で目が合ってしまったのか。いや、さっきの視線のことを思うと、あたしがホームに立った時から見ていたに違いない。

電車はスピードを上げ、その男はどんどん遠ざかる。見えなくなるまでこっちを見ているかと思ったが、男はふと誰かに呼ばれたように振り返った。

男に向かって、白髪混じりの背の高い男が小走りに駆け寄ってくる。知り合いらしい。

その男が、ちらりとこちらを振り返った。

眼鏡《めがね》を掛けた顔。

えっ。

頭の中で何かが弾《はじ》けたような気がした。

あの顔。あの人は。

電車はトンネルに吸い込まれ、窓の外は真っ暗になった。

暎子は電車の走る轟音《ごうおん》に包まれながら、一人蒼《あお》ざめて座っていた。

ほんの一瞬、こちらを振り返った顔が脳裏に焼き付いている。

あれは。あの男は確かに。

暎子は膝の上に両肘《りょうひじ》を突き、顔を覆った。

今の自分の感情が何なのか、自分でも説明できない。怒り。驚愕《きょうがく》。絶望。安堵。悲しみ。これまで忘れていたありとあらゆる感情が、次から次へと堰《せき》を切って身体の中に溢《あふ》れ出してくる。

電車の轟音は、彼女の中に押し寄せてきた激流が岸辺にぶつかる音のように聞こえた。

あの人だ。

暎子は、恐怖にも似た気持ちでそのことを認めた。

あそこに立っていたのは、十数年前にあたしの前から姿を消した、あたしの夫だ。


「ねえ、お母さん、硬さこのくらいでいいの？」

いつのまにかあの時のことを考えていたことに気付き、暎子はハッとした。

時子がボウルを抱えたままこっちを見ている。

「ああ、混ぜ終わった？」

慌てて椅子から立ち上がると、時子が怪訝《けげん》そうな顔になった。

「どうしたの？　具合でも悪いの？」

「ううん。なんかボーッとしちゃって」

暎子はわざとのんびり伸びをしてみせる。

「今日、なんだか蒸し暑いものね。もうすぐ十二月だっていうのに」

時子は開け放してあるキッチンの窓にちらっと目をやると、ボウルを暎子に向かって差し出した。

暎子は泡立て器でクリームを持ち上げてみる。クリームは途中までふわりと浮かび上がり、角のように立った。

「OK、いいんじゃない？」

「よかった。しゃかりきに混ぜてたら、くたびれちゃった。ほんと、お菓子作りって体力勝負ね」

「時間大丈夫？」

「大丈夫大丈夫。どうせ始まるの遅いから」

「来週、ゼミ旅行よね？　そっちの準備は？」

「大して準備するものもないわ。田舎《いなか》の湯治場だもの。出かけるところもないし、みんなで資料読んで文句言って宴会するだけよ」

時子はオーブンの中のスポンジケーキの様子を見に行った。

部屋の中に、甘く温かい匂《にお》いが流れ出している。

友人の誕生パーティに手製のケーキを持っていくのだという。

時子が子供の頃に暎子が繰り返し作ったケーキは、今ではそのまま時子のレパートリーになりつつあった。

この子はあたしよりもずっと几帳面《きちようめん》で仕事が丁寧だ。

暎子はケーキに竹串《たけぐし》を刺している娘の背中を、そんな誇らしい気持ちで見つめる。

父親に似たのね。

そう思ったとたん、地下鉄の駅で見た男の姿が鮮明に蘇った。

痛みのようなものを胸に感じる。

あれは本当に夫だったのだろうか。

何度も繰り返した疑問を、再び暎子は考え始めていた。

あの時はそう確信したけれど、十年以上経っているのだ。本当にあの人だと見分けられるだろうか。ほんの一瞬だけだったし、単なる見間違いでは。

しかし、確信は消えなかった。少し歳を取ってはいたけれど、顔立ちはちっとも変わらないし、やつれた様子もない。あのまま歳を取っていたら、と時々想像した通りの顔だった。

一緒にいた男は誰だろう。

それも、何度も考えた疑問だった。

あの男は、あたしのことを知っていたように思える。見ず知らずの女に興味を覚えて見ていたという感じではなく、元々知っている人間を見かけてじっと観察していたという感じなのだ。

そして、あたしのことを知っているあの若い男と夫が知り合いだったということは、あの若い男は夫を「裏返した」側の人間だということになるのだろうか。

そう考えると、首をひねらざるを得なかった。

あの若い男が、「裏返す」ような人間には思えなかったのだ。いつも「裏返す」時や「裏返さなければならない」対象に感じる、あの異物感や恐怖感は全くなかった。

それにしても、あの老婦人が話し掛けてきてから大して時間が経っていない。

これまで全く見かけたことのなかった夫の姿を見たというのは偶然だろうか？

暎子は、自分の周りで何かがゆっくりと動き始めているような、得体の知れない不安を感じた。

だけど、もしかして、これまでも見ていたのかもしれない。

ふと、また霧のような疑惑が込み上げてきた。

これまでも何度かあの人を見かけていたのに、あたしの無意識がそれを否定していたのだ。人は見たくないものは見ない。見たいものだけを見る。

もうこの生活でいい。この生活に、母と娘二人の平穏さに慣れてしまった。今更新たな関係など築きたくない。あたしたちを捨てて、消えてしまった人に今更父親面、夫面などされたくない。もうあの男は赤の他人。

心のどこかでそう考え、あの人を憎んでいたあたしが、どこかで何度もすれ違い、再会していた夫のことを否定し、記憶から抹殺してしまっていたのではないか。

そんなことを思いつつ、暎子は思わず苦笑していた。

高橋のところで検査を受けて以来、こんなことばっかり考えている。

と、エプロンの端っこをつんつんと強く引っ張られた。

「ねえ、お母さん」

頭の中が真っ白になる。

ねえ、お母さん。

洗って、叩いて、白くする。

「焼け具合、見て」

我に返ると、時子がエプロンを引っ張っていた。

「はいはい」

そう答えてオーブンに近付きながらも、暎子はやはり頭の中が真っ白だった。

身体は動き、手は動いて、オーブンの中のケーキに竹串を刺している。

「バッチリよ、完璧《かんぺき》」

「よかったあ」

口は動いてそう言い、時子と一緒に笑い合っている。

時子は鼻歌を歌いながら、ケーキを取り出し、ボウルの中のホイップクリームを混ぜ始めた。

記憶が巻き戻され、逆流する。甘いケーキの匂い。

混ぜられたホイップクリームはみるみるうちに茶色になり、チョコレートクリームになる。チョコレートの甘い匂い。オーブンで焼けるスポンジケーキ。

時子がどんどん小さくなり、ピンクのエプロンは、子供用の赤いエプロンになる。

時子が口を一文字に結び、力を込めてクリームを混ぜている。

随分力がいるんだね、お母さん。

真っ赤な顔をして、時子が暎子を見上げる。

お菓子は体力勝負なのよ。お菓子屋さんは、男の人が多いでしょ。

無心にスポンジケーキの準備をしているうちに、暎子の心に暗い疑惑が忍び込む。すべては妄想。捨てられたあたしたち。

疑惑は疑惑を呼び、暎子の心は負の連鎖に取り込まれる。冷たいスパイラルを描き、彼女が保ってきた精神は、奈落《ならく》の底へと落ち込んでいく。

その時、時子がエプロンを引っ張ったのだ。

つんつんと、強く二回。

暎子はハッとして娘の顔を見下ろした。

娘は全てを見透かしたかのような目で母を見ていた。

洗って、叩いて、白くするんだって。

突然、時子はそう言った。

え？　何？　今なんて言ったの？

瑛子は聞き直した。時子は繰り返す。

洗って、叩いて、白くするんだって。

それでも、瑛子は娘が何の話をしているのか分からなかった。ケーキを作っている最中に、この子は何を言い出すのだろう?

何を?

瑛子はまだ自分の心のどこかが奈落のスパイラルを描いているのを感じながら尋ねた。

お父さん。

えっ。

瑛子は驚いた。この子は、それが誰のことなのか分かっているのだろうか、とチラリと考えた。

あのおばあさんね、お父さんを連れていく時に言ったの。ごめんねって。お父さん、つつまなくちゃならないんだよって。

時子は瞬《まばた》きもせずそう言った。

つつまなくちゃならない?

うん、と時子は頷《うなず》いた。

おばあさん、ああいうの持ってた。

時子は、キッチンの食器棚を指差した。

ああいうのって？　暎子は相変わらず話が見えない。まさか食器棚を？

時子は左右に首を振った。違う違う。あそこの引き出しに入ってるの。田中先生のところにこないだお煎餅《せんべい》持ってく時に、紫色ので包んでたでしょう。

ああ、と暎子は頷いた。あの、紫色の風呂敷《ふろしき》のこと？

そう。おばあさん、ああいうの持ってたの。灰色っぽいので、小さな箱包んで持ってた。

灰色の風呂敷を？

そう。時子はこくんと頷く。

ようやく、「つつまなくちゃならない」が「包まなくちゃならない」のことだと気付く。

包む？　あの人を包む？　いったいどういう意味なのだろう。「裏返す」ことを、年寄りはそう言うのだろうか。

洗って、叩いて、白くしたら返すって。

時子はこともなげにそう言った。

なんですって。

暎子は棒立ちになった。負のスパイラルなどもうどこかに消し飛んでしまっていた。

思わず娘の肩をつかみ、顔を覗き込む。

もう一度言って。そのおばあさん、何て言ったの？

時子は身動《みじろ》ぎもせずに繰り返した。

洗って、叩いて、白くしたら返すって。

「見て見て！　凄《すご》い、お店で売ってるのみたいじゃない？　我ながら上出来！」

はしゃいだ時子の声で、暎子は記憶の彼方《かなた》から引き戻された。

身動ぎもせずにこちらを見ていた少女が、すらりとした若い女性になっている。

時子は、ホイップクリームをまんべんなく塗りつけた白いケーキに飾りを付けているところだった。

なぜこんな重要なことを忘れていたのだろう。

暎子はぼんやりと考えた。

すっかり忘れていた。夫がどこかの見知らぬおばあさんに連れ去られたこと、落ち込んだ時に娘に話し掛けられて助かったことは覚えていたのに、こんなに大事な娘の言葉の内容を綺麗さっぱり忘れていたなんて。

なんと人の心は不思議なのだろう。

これも、偶然か。あの老婦人が現れ、夫らしき男とあの若い男が現れ、そして、おばあさんが口にしたという言葉が記憶の谷間から復活した。

分からない、と暎子は口の中で呟いた。

何かが始まろうとしているのか。何かが変わろうとしているのか。

暎子は、はしゃぐ時子の向こうにある冷蔵庫にちらりと目をやった。

そこに標本のように留められている、小さなメモを。


そっと手を伸ばし、マグネットを外す。

そのメモを冷蔵庫から剝がすと、かすかにメモの形を残して周りが汚れていた。何年もずっと付けっぱなしだったのだから、無理もない。時々、濡《ぬ》れたりして汚くなった時に書き換えていたが、最後にそれをしたのはもう何年も前だ。

暎子は、テーブルの上にそのメモを置く。

一人きりのキッチン。家の中は静まり返り、気温もどんどん下がり始めている。今夜は冷えるらしい。

時子は今日の昼間、大騒ぎしてゼミ旅行に出かけていった。お陰で、こうして思う存分悩む時間が取れるというわけだ。

暎子は蒼ざめた顔でそのメモを見下ろしていた。メモを外して目の前に置いてみたものの、自分が何をしたいのかよく分からなかった。

いつのまにか、どきん、どきん、と心臓の音が部屋に大きく響き出していることに気付く。

電話してください。

あの声は、今でも鮮明に覚えている。

電話したらどうなる？　あの人に会える？　会えたところでどうなる？

暎子は心の中で叫ぶ。

何かがよくなるの？　何かが解決するの？　あたしたちはどうなるの？

その声が、次第にヒステリックになっていく。一人で格闘してきた歳月に対する怒りや惨めさややりきれなさがどんどん身体の中に膨らんでいく。

が、手は勝手に動いていた。キッチンの隅に置かれた電話の前に移動し、さっさと受話器を取り、ボタンを押している。

返して。この歳月を返して。あたしの孤独を。

憤りで顔が熱い。呼び出し音が鳴る。

返して。あたしの時間を。返して。もっと違う人生を送っていたであろうあたしを。

「はい。コトノ薬局です」

落ち着いた女性の声がしたとたん、何か熱いものがどっと身体の中に溢れ出した。

忘れていた名前。懐かしい一族の名前をもじったものだとすぐに気付いた。

「――もしもし」

暎子は溜息のような声しか出なかった。

しかし、電話の向こうで、空気が動くのが分かった。

「暎子さん。拝島暎子さんね」

あまりにもきっぱりとそう言われたので、暎子はかえってどぎまぎした。

「はい。はい、あの。いえ、私は」

思わずしどろもどろになってしまう。

「長かったわ。ずっと待っていたわ。やっと電話を掛けてくれたのね」

女性の声は、強く揺るぎなかった。


結婚を反対されたのは、それが一族の方針に反するからだった。

薄く、広く、なるべく在野に散っていくように。

そんな不文律が一族の中に確固として残っていたのだ。似た傾向、似た能力を持つ家の者が一緒になるのは、あまり好ましくないと考えられていた。似た能力を持つというのは、血縁的に見ても遺伝的に近い可能性が高いということもあったろう。

一族の名の由来である常野《とこの》にしろ、異端分子として純血を保つのではなく、できるだけ広く交わって拡散すべきだという意志の表れに違いない。

しかし、似ているからこそ惹《ひ》かれあうのも道理だった。

暎子も夫も、早くに両親をなくしていることがそれに拍車を掛けたかもしれない。直接諫《いさ》めてくれる人がいなかったせいもあって、二人の恋は燃え上がり、親族の反対を押し切って一緒になった。元々、親と一族の間に何かトラブルがあったとも聞いているが、詳しいことは分からなかった。どちらにしろ、結果は同じことだった。暎子たちは長い間、親族と没交渉のまま暮らしてきたのだ。

そんなことを考えながら、暎子は薬局の隅のソファで、二人の女性と向き合っていた。一人はこのあいだパーティで会った老婦人。もう一人は、あの電話番号で電話を受けてくれ、今日ここに暎子を呼んでくれた、ぽっちゃりした中年女性だった。

「一人で時子ちゃんを育ててきたんですねえ。大変だったわねえ」

この薬局は、一族の情報の集まる場所らしかった。みんなが在野に散っているとはいえ、何かの時のための互助会のようなものができあがっているようだ。

滝和子と名乗ったこのぽっちゃりした女性は、みんなの連絡係のようなものを請け負っているらしい。

「ご主人が『裏返された』って噂は聞いていたんです。みんなが暎子さんからの連絡を待っていました。こちらからは連絡しにくい状況でした。あなたたちの結婚には反対していた人も多いし」

和子は少し言いにくそうにした。

「私、信じられなかったし、あきらめていたんです、きっと」

暎子はのろのろと答えた。

「あれくらい強い夫が『裏返された』ってこと、なかなか認められなかった。『裏返された』ことを認めてからも、もうあの人を助けられる人はいないだろうとあきらめていたんだと思います」

老婦人は、相変わらず名乗ろうとしなかった。名前を聞くと、やんわりと話を変えるのだ。何か事情でもあるのだろうか。

老婦人と和子は、ちらちらと顔を見合わせていた。どっちが話すか、迷っているような目つきだった。

「夫を見たとおっしゃいましたね？」

暎子は構わず老婦人に話し掛けた。老婦人は、こっくりと頷く。

「実は、私も見たんです。先日」

そう言うと、二人はハッとしたように暎子を見た。

「どちらで？」

和子が用心深い声で尋ねる。見かけた駅の名を言うと、二人は再び不安そうな顔を見合わせた。

「一人でしたか？」

和子が重ねて聞く。

「いえ、若い男性が一緒でした。すらっとした、眼光の鋭い」

「ああ。それはきっと火浦です」

「ひうら？」

「一族の者です。『洗濯屋』ですよ」

老婦人が静かに口を挟んだ。「洗濯屋」。

ふと、暎子は老婦人が小さな風呂敷包みを持っているのが目に入った。

灰色の小さな風呂敷包み。

かつて時子が見たというのはこのくらいの包みではなかったか。

そう考えると、不意に奇妙な映像が浮かんできた。

十数年前、この老婦人が、夫の手を引いて公園から出ていくところである。

時子は「おばあさん」と言った。「おばあさん」を見たのは時子だけだ。

この人は、今幾つだろうか。七十を過ぎているかもしれない。十年前でも六十そこそこだ。小学生の女の子から見れば、三十も四十も同じ「おばさん」であるように、六十も七十も同じ「おばあさん」なのではないだろうか。

「ここ数年、『裏返される』者がとても増えているんです。それまでは、そんなにいませんでした。『裏返され』そうになっても、みんななんとか逃げ切ってこられたんです」

和子が不安そうな声で話し始めたので、頭に浮かんでいた光景は消えた。

「みんなどんどんいなくなっていて、そのことを危惧《きぐ》する声が強くなりました」

「あのう、今さら聞くのもなんなんですけど、『裏返される』とどうなるんですか？」

暎子は恐る恐る尋ねた。

「別人になります。家族のこともすっかり忘れてしまいます。我々のことも、自分のことも、認識できなくなります」

老婦人が静かに答えた。

「そういう人は、その先どうやって生きていくんですか？」

「人によるんですよ。『裏返される』時に激しく抵抗して廃人になってしまう人もいる。精神的疾患と診断されて入院している人もいる。あと、興味深いのは」

和子があとを引き取って続けた。

「新たな人格と記憶を獲得する人がいることです」

「新たな人格と記憶？　どうしてそんなことが可能なんです？」

暎子は思わず聞き返した。

「正直言って分かりません」

和子はあっさり認めた。

「けれど、これだけはいえます。我々を『裏返す』者たちは、どんな存在であれ、我々と同じく何らかの社会や互助組織を持っているということです。恐らく、そこに属して暮らしているのでしょうね」

理由もなく不安が押し寄せてきた。

試薬。反応。不透明な暗黒。

高橋の話を聞いていて感じた恐怖が蘇る。

奴らは顔を持っているのか。社会を持っているのか。人間なのか。

「最近、火浦さんたち『洗濯屋』が積極的に活動をしているんです」

和子はぽつんと言った。その口調は、肯定でも否定でもない。だが、かすかに恐れのようなものを感じたのは気のせいだろうか。

「『裏返された』人を捜し出してきて、集中的に『洗濯』をしているらしいんです」

何かが閃《ひらめ》いた。

暎子は老婦人の顔をパッと見る。彼女は暎子の目を避けられず、正面から目が合った。

「ひょっとして、あなたが夫を見たというのは」

暎子がそういうと、老婦人はあきらめたように目を伏せて頷いた。

「ええ。そうです。長野にある、『洗濯屋』の店の近くでです」

「じゃあ、夫も、その火浦という『洗濯屋』に『洗濯』されたというんですか」

「分かりません。でも、一緒にいるところを見たということですから、その途中かもしれません」

暎子が必死になればなるほど、二人はどこか伏し目がちになる。

「なんだか、あなたたちはその火浦という『洗濯屋』を恐れているように思えるんですけど、私の気のせいでしょうか」

沈黙が降りた。

「火浦さんは」

和子が消え入りそうな声でやっと口を開いた。

「これまで誰も見たこともないような強い『洗濯屋』なんです。それこそ、『裏返す』どころか、根こそぎ人格を破壊してしまえるような」

「まさか」

和子は弱々しく笑った。

「本当です。彼に逆らったり、彼の意に沿わないばかりに、廃人にされてしまった人が何人もいるんです」

暎子は、地下鉄の駅で見た夫の顔を思い出してみる。見た目はかつてとちっとも変わらなかった。知性も情動も窺え、廃人のようには見えなかった。

「その人は」

暎子は尋ねた。

「いったい何をしようとしているんです？」

老婦人が力なく首を振った。

「分かりません。だから余計に怖いんですよ。ただ、遠目が最近言うことには、我々には大きな災厄がすぐそこまで迫っているということです」


特急列車から、空気の冷たいホームに降り立つと、雪を冠した山々が見えた。

ここからローカル線に乗り換えて三十分。

二両編成の小さな電車に、ぞろぞろと年配の観光客が乗り込んでいく。

暎子も暖かい列車の中に乗り込んだ。些《いささ》か暖房がきついが、これくらいにしておかないと暖まらないのだろう。

電車はほどほどに混んでいたが、暎子の座ったボックス席が埋まるほどではなかった。四人掛けのボックス席を一人で占領する。

ちょうど研修旅行の行き先に近かったその場所に行く決心をしたのは、一昨日《おととい》のことだった。

あの老婦人が、バス停で待ち合わせてその「店」に連れていってくれるという。

そこに夫がいるのだろうか。

そう考えると、胸の底が苦しいように波立つが、ローカル線の中の笑いさざめく観光客や、真っ白に冠雪した日本アルプスを見ていると、そんなことは信じられないような気がしてくる。

人格を破壊するほどの「洗濯」。

そんなことが可能なのだろうか。むろん、「裏返す」のだってそれに近いような行為だが、そういう能力とはレベルが違う。これまで自分のことしか考えてこなかったが、一族は今どうなっているのだろう。昔はそんなことは意識したこともなかった。在野に散れというだけあって、あくまでもゆるやかな、薄い繫《つな》がりでしかなかったのに。

スッと外の空気をまとって誰かが入ってきた。

さっと暎子の向かい側に座る。

顔を上げた瞬間、地下鉄の駅で見たあの黒い目があったので、暎子は息もできないほどびっくりした。

「こんにちは」

青年は、真面目腐った顔で会釈した。

なぜここに。尾《つ》けられていた？　一瞬、頭がパニックになるが、彼女は冷静に尋ねていた。

「火浦さん？」

「はい」

力のある目だ。

「この間主人と一緒だったところを見ました。覚えてますよね」

「はい」

話に聞いていたのと違って、青年は生真面目に返事をする。

相変わらず眼光は鋭かったが、そこに不穏なものは見出《みいだ》せないことに、暎子は戸惑っていた。

「ご主人は『裏返されて』などいません」

青年は率直に言った。

「え？」

「私が言いたいのはそれだけです」

サッと火浦は立ち上がった。暎子は慌てる。

「ま、待って。『裏返されて』ないというのは。今どこにいるの？」

「もうすぐあなたの前に現れるでしょう」

火浦は予言者めいたことを言った。

見下ろすその目には、質問をさしはさめないような迫力が漲《みなぎ》っていて、暎子は黙り込んでしまう。

「あのばあさんたち、あまり信用しないほうがいいですよ」

「はあ？」

「あのばあさんたち、俺を毛嫌いしてるけど、それは俺のせいじゃない。向こうに後ろめたいことがあるからです」

「後ろめたいこと？」

「今度、聞いてごらんなさい。これからどっちかに会うんでしょう？」

火浦はにやっと笑った。この先の予定も知られている。どういうことだろう。

「それより、お嬢さんに気を付けたほうがいいです」

暎子はぎくっとした。時子。

「なんでそんなこと。娘に何の関係が」

思わず動転して、声を荒らげてしまう。

火浦の目が再び鋭くなった。低い声で呟く。

「あなたとご主人の子ですよ。それがどういうことか分かってるんですか。最強どうしの子供だ。それを何かに利用しようという人間が出てきたって不思議じゃない」

「そんな」

「世界はどんどん変化している。その無防備さが命取りにならないよう祈ってますよ」

火浦は吐き捨てるように言うと、来た時のようにサッと列車を降りていった。

そんな。

暎子は、混乱した頭で、もう一度そう呟いた。


辺りは本当に真っ暗だった。

秘書に断って宿を出てきたものの、バス停の周りも真っ暗で、道路に沿って立っている街灯と、古いドライブインやコンビニエンスストアの明かりが幾つか見えるだけだ。

こんなところで、あたしは何をしているんだろう。

どんどん気温が下がってきて、立っていると足元から冷気がしみこんでくる。

「すみません、お待たせしました」

急に声を掛けられて、暎子はぎくっとした。

見ると、すぐそばにあの老婦人が立っている。いつのまに。

黒いコートを着ているので、見えにくかったのかもしれない。

それにしても、いったいどこから現れたのだろう。こんなに見通しのいい道路なのに、ちっとも気が付かなかった。

「どこからいらしたんですか？　ずっと見てたんですけど、いらっしゃるところに気が付かなかったから」

　暎子は冗談めかして尋ねた。

「ああ。そこを上がってきたんです。実は、そこに坂があるんですよ」

　老婦人は、暎子の怪訝そうな顔の理由に思い当たったのか、小さく笑った。

「あら。本当だわ」

　見ると、バス停近くのドライブインの脇《わき》に、見えにくかったが、下っていく道があった。急勾配《きゆうこうばい》で、確かにここを登ってきたら、いきなり道に現れたように見えるだろう。

　暎子は自分の勘違いに苦笑した。

「すぐそこです。あそこに平べったいところが見えるでしょう。あれが工場です」

　坂の上から、老婦人は指差した。徐々に目が慣れてきて、確かに、だだっぴろい平地に、白い長方形の屋根が見える。辺りは何もない。冬枯れの田んぼが広がっているだけだ。

「工場？」

「クリーニング工場なんですよ」

「本当に『洗濯屋』なんですね」

　暎子は笑った。

「車で品物を回収して、車で届ける。そういう商売をやってるんです」

「あそこにあの人が？　火浦さんでしたっけ？」

「今日はいません。出かけたと聞きました」

老婦人は硬い表情で首を振った。彼女はあの男をよく思っていないらしい。

「あなたはよくここにいらっしゃるんですか？」

「時々。全くおつきあいをしないわけにもいきませんから」

老婦人の後ろについて歩きながら、またかつて見たデジャ・ビュが蘇ってきた。

彼女に連れていかれる夫。手に持った灰色の風呂敷包み。

「あそこには、今、誰が？」

「従業員が何人か」

「それは皆、一族の人なんですか？」

「いいえ。普通の人です。火浦の家が、あそこに作業場を持っているんですよ」

「作業場？」

「はい。『洗濯』をするところです」

「そこには今誰が？」

老婦人は、一瞬黙り込んだ。

「恐らくは」

ちらりと暎子を見たので、暎子はハッとした。

「まさか、主人が？」

「たぶん」

急に足がすくんできた。

まさか、まさか、本当に、こんな山の中のクリーニング工場で、十数年も生き別れていた夫と再会するなんてことがあるのだろうか？

信じられなかった。しかし、徐々に身体が震えてきて、心臓の鼓動が速まっているのを感じる。そんなことがあるはずない。そんなことが。

工場は、皓々《こうこう》と明かりがついていて、中でTシャツ姿でアイロンを掛けている男たちの姿が見えた。湯気の中で、忙しく立ち働く人たち。

ただのクリーニング工場だ。

おっかなびっくり来ただけに、暎子は拍子抜けした。山奥の怪しい工場を想像していたのだ。

「こっちです。こっちに、作業場が」

老婦人は、正面玄関を通り過ぎて、中庭に向かった。

見ると、通路の奥に、離れのような二階建ての建物が見える。

「あそこで、寝起きできます。時々、あそこで生活している人がいて、やがていなくなります。恐らくは、あそこで『洗濯』をしているんでしょう」

老婦人が、声を低めて囁いた。

二階には明かりがついていて、誰かが部屋の中を歩き回っているのが見えた。

胸がどきんとする。

背格好が夫に似ているような気がしたが、二階なのでよく分からない。

「行ってみましょう」

老婦人が囁き、歩き出した。

「大丈夫なんですか？」

「ええ。時々私たちがこの辺を掃除しているし、一階は工場と繋がっているので大丈夫」

老婦人は中庭を横切ると、二階建ての建物と工場を繋ぐ渡り廊下のようになった通路の扉の鍵《かぎ》を開けて中に入った。

がらんとした通路の奥に、明かりが見える。

「さ、どうぞ」

老婦人は、暎子を促した。

またしても、奇妙な連想が頭をよぎる。

自分が手を引かれて公園を出て行くところだ。

広い部屋だった。二十畳、いやもっとあるだろうか。

がらんとしていて、柔らかい光が降り注いでいる。

しかし、視界は遮られていた。

天井近くにテグスのようなものが縦横に張り巡らされていて、そこにずらりと灰色の布が干してあったからだ。

「これは」

暎子は息を呑《の》んだ。

どれもこれも同じ大きさの布だった。灰色、いや、薄墨色とでもいうのか。柔らかいグラデーションで染められた布が、ずらりと並んでいるのである。

「風呂敷ですよ。洗濯したんです」

穏やかな老婦人の声が背中から響く。

「これはいったい何に使うんです？」

暎子はかすれた声で尋ねた。

「包むんですよ。綺麗にしておかないとね。保存用には」

柔らかな声が背中を這《は》い上がってくる。

「包む？」

暎子は、自分の声がかすかに震えているのを感じた。

足が動かない。ぎくしゃくとしか動かない足で、暎子は奥に進んだ。そこに、何か大きなものがあることに気付いていたからだ。

「そう、せっかくいらしたんだから、あれをご覧になって。やはり、見ておきたいでしょう」

優しい声が背中にまとわりつく。

暎子はのろのろと進んだ。整然と干された風呂敷の間をくぐり、一番奥にある何かの前に進む。

そこにあるのは、巨大な棚だった。鍵の掛かるガラスケースが、ずらりと壁面一つを埋めている。

そして、その中には――

数え切れないほどの風呂敷包み。

ハガキ大ほどの、灰色の包みがずらりと並んでいた。いったい幾つあるのだろう。整然と、ぴかぴかに磨き上げられたガラスケースの中に、数え切れないほど。

「あれは」

「素敵でしょ。ちゃんと湿度も調節してあるんですよ」

老婦人の声が暎子の横に聞こえ、やがて前に聞こえた。

「楽になりたいと思ってらしたんでしょう」

にこやかで上品な顔が、暎子を見上げている。

「あの中に」

暎子がのろのろと呟きかけたその瞬間である。

誰かが部屋に駆け込んでくる音がした。

「逃げろ！　暎子！」

風呂敷のカーテンの向こうから、くぐもった叫び声が響く。

「こっちを見て！」

老婦人のぴしりとした声がした。

不用意に振り返ってはいけない。

どこかでそんな声を聞いたが、混乱した暎子は、老婦人の声に反射的に反応していた。

「さあ、これを見るの！」

暎子は、老婦人が手の上に広げているものを見た。

彼女は、両手の上に灰色の風呂敷を広げていた。その中央にあるものがパッと目に入る。

なんだろう、これ？

思わず見入ってしまう。

小さな、白い家。お寺のような、ハガキ大の、白い家のような模型がそこにあった。

「暎子！」

悲鳴のような怒号が響く。

しかし、暎子は意識を失いつつあった。

あの声が夫のものであること、自分が、何かを拒絶して心を閉じようとしていること、そして、老婦人が手に広げていた風呂敷の隅に、毛筆で名前があることに気が付いていたが、それも徐々に薄れつつあった。

風呂敷には彼女の名前が書いてあった——見事な筆跡で、拝島暎子、と。

第三章　十二月二十日　土曜日

時子は公園にいた。

父が連れ去られた、あの公園だ。

不思議なのは、あの時よりもずっと広く感じられることだ。普通、成長したら、幼児期に過ごした場所が小さく感じられるはずではないか。当時でさえ、あの公園はこぢんまりしたところだったのに、今はなぜこんなに広くなってしまったのだろう。

時子は父を捜すことにした。この広い公園のどこかに、父がいるに違いないからだ。

公園は静かで、なぜか真っ白だった。空も地面も真っ白。ジャングル・ジムや銀杏《いちょう》の木はちゃんとそのままの色なのに、それ以外の部分は真っ白なのだ。

時子はきょろきょろしながら公園を歩いた。誰もいない。

遠くにあるジャングル・ジムに向かって歩く。やけにそれは遠く、なかなか近付いてこない。もどかしくなって、思わず早足になる。

やっと近付いてきたジャングル・ジムは、よく見ると大きなマッチ棒でできていた。

頭の燐《りん》の部分がさまざまな色に塗り分けられている。そうか、子供の頃は気が付かなかったけど、ジャングル・ジムというのはマッチ棒でできていたのか。時子は納得した。

ジャングル・ジムまで辿《たど》り着くと、その向こうに誰かが座っているのが見えた。

着物を着たおばあさんが、こちらに背を向けて座布団に正座している。おばあさんの向こうには、やけに長い卓袱台《ちゃぶだい》があった。恐らくは長方形をしているのだが、あまりにも長くて切れ目が見えない。卓袱台を囲んでいるのはおばあさんだけだ。

あのおばあさんが、お父さんを連れていったんだ。

その姿に見覚えがあり、時子は一人で頷《うなず》いた。

返してもらわなくちゃ。お母さんがどんなに苦労したか、説明して返してもらうんだ。

時子は勇んで駆け寄った。顔を見ようと前に回る。

あっ。

そこに顔はなかった。いや、顔のあるべきところに、灰色の風呂敷《ふろしき》が掛かっている。

その下には、きちんと膝《ひざ》の上に揃《そろ》えた手が見えた。

風もないのに、風呂敷はぱたぱたとはためいていた。どこから風が吹いているのだろう。

時子は、何となく後ろを見た。

遠くに父がいた。

遠い、卓袱台の向こうに巨大な父が立っている。あまりにも大きいので、胸から上が雲に隠れてしまい、霞《かすみ》が掛かって顔が見えない。

お父さん。お父さん。

時子は両手を口に当てて何度も叫んだ。

あれ、お父さんってどんな顔だったっけ。

彼女はふと、自分が父の顔をもう覚えていないことに気付く。

いや、そんなはずはない。

慌てて打ち消す。あれがお父さん。そうよ。あの日と同じ格好だもの。

時子は叫ぶのをやめて、長い卓袱台に沿って走りだす。近くまで行けば顔が見えるに違いない。直接足元から叫んでやろう。

しかし、走っても走っても卓袱台の切れ目は見えず、父は近付いてこなかった。

だんだん息切れしてくるが、ここで走るのをやめたら二度と父に会えないような気がして、我慢して走り続ける。

自分の息の音と心臓の音が重なり合って大きくなる。

はあ、はあ、はあ、どくん、どくん、どくん、どくん、はあ、はあ、どくん、どくん、はぁどくん、はぁどくん、**はぁどくん**。

やがて彼女は、その二つの音に別の音が混ざっていることに気付く。

何の音？

ガーッ、という、何か重いものが近付いてくるような音だ。威圧感とスピードのある、恐ろしい音。彼女は振り返る。

巨大な鉄球が、卓袱台の上を走ってくる。

それは、ボウリングの黒いボールだった。巨大なボウリングのボールが、長い卓袱台の上を転がってくるのだ。

時子は思わず立ち止まってしまった。

まるで機関車だ。丸い機関車が、凄《すご》いスピードで卓袱台の上を進んでくる。

凄《すさ》まじい音を立てて、ボールはたちまち時子を追い抜いていった。

その行き先に目をやると、ボールは父に向かっていた。

危ない、と時子は叫んだ。あのままではお父さんにぶつかってしまう。

慌てて追いかける。しかし、ボールのスピードには全然追いつけない。

お父さん、逃げて！　時子は叫んだ。

が、巨大な父の影の麓《ふもと》が近づいてきた瞬間、時子はそれが父ではなく、巨大なボウリングのピンだと気付く。

全身を悪寒がつき抜け、時子は今度こそ凍りついたように立ち止まってしまう。

ガーッ、という黒い機関車の音はいよいよ恐ろしく、一直線に巨大なピンに向かって突き進む。
　ぶつかる！
　時子は目をつぶった。
ぱぁぁん！
　ボウリング場の、あの破裂音にも似た爽快《そうかい》な音が響く。
　ぶつかった！　ああ、もう駄目だ！
　絶望のあまり、時子は呻《うめ》き声を上げる――

　自分でも驚くほど大きく身震いをして、時子は我に返った。
　反動で手足が伸び、テーブルと床に勢いよくぶつかった。その痛みにびっくりして、
ぱっちりと目が開いた。
　見知らぬ部屋にいた。
　一瞬、頭が混乱する。さっきまで美術館にいたはずなのに。
　突然、記憶が蘇《よみがえ》る。
　バスに揺られて――エレベーターに乗って――薬局で渡されたメモ――眠る母――銀
色のピン――「しあわせ」――

逆流し、時系列が混乱する記憶。その中に、何か黒い影のようなものが混ざっている。

黒い目、黒い髪、黒い輪郭。

あの男。

かちりとこれまでの記憶が嚙《か》みあって、時子は思わず立ち上がっていた。がたんと重い椅子《いす》が後ろにずれる。

ここはどこだろう?

時子はテーブルに手をついて、しげしげと部屋の中を見回した。

奇妙な部屋だ。受ける印象は、会議室。まだ新しい。天井には丸い電球が嵌《は》めてあり、光の強さや向きが変えられるらしい。淡い光が部屋全体を落ち着いた色に染めていた。

壁も床も天井も、白っぽいがどことなく鈍く光っていて、金属でできているような印象を受ける。窓はない。ドアは一つ。

部屋の中央に、大きな一枚の長方形の石のテーブルがあって、周りに幾つか一人掛けのソファが置いてある。時子はその一つに座っていた。

ふと手探りして、バッグが消えていることに気付いた。

愕然《がくぜん》として、周囲を探す。しかし、部屋の中には見事に何もなかった。通常の会議室ならばあってもいい観葉植物や壁の絵はもちろん、絨毯《じゅうたん》すらない。

反射的に手首を見るが、腕時計も外されている。

あの男に外されたのだ、と思うとゾッとした。

が、その瞬間、時子はもっと恐ろしいことに気付いた。

あたしは「裏返された」のだ。

床からせり上がってくる銀色のピン。その沢山のピンに映っている自分の蒼《あお》ざめた顔。

意識が遠ざかって――「裏返された」。

時子は真っ青になった。

それではこれが、「裏返された」ということなのか。こんな無機質な世界。あたしはいったいどうなってしまったのだろう。ここはいったいどこ。今見えている世界は何なの？

目の前が真っ暗になり、パニックに陥ったと思った時、ばたんとドアが開いた。

お盆に載せたコーヒーを持って入ってきた火浦と目が合う。

二つの黒曜石。

時子は思わず悲鳴を上げて飛びのいたが、火浦は彼女に向かって掌《てのひら》を向けた。

「落ち着いて。危害を加えたわけじゃないし、加えるつもりもない」

「あたし、あたし、『裏返された』の？　あなたに？」

「いいや。ちょっと試してみただけだ」

火浦は淡々と首を振り、時子の前にコーヒーカップを置いた。

「どうぞ」

顎《あご》で示す彼に、時子は疑わしそうな目を向ける。

「毒は入ってない。座って」

火浦は有無を言わせぬ口調でもう一度顎を動かした。

「あたしのバッグを返して」

「済んだら返すよ。電子機器が入ってるのはマズイんでね」

「電子機器？」

「携帯電話とか」

「時計は？」

「クオーツもね」

火浦は平然と、時子と斜めになるようにテーブルの角に腰を下ろし、自分の分のコーヒーを飲み始めた。時子も渋々座る。

「ここはどこ？」

「さっきと同じビルだよ。もう少し上のフロアだ」

火浦は淡々と答える。彼があまりにも落ち着いているので、時子も少しずつ平静を取り戻してくる。

「てっきり、こんな世界なのかと」

時子は口ごもった。

「こんな世界とは？」

「『裏返された』世界。こんな、無機質な何もない世界に一人きりなのかと」

火浦はチラッと時子を見た。

「『裏返した』ことはあるんだろう？　最初に『裏返した』のはいつだった？」

「いつが最初だったのか厳密には分からないわ。『裏返した』んだって意識したのは高校生の時だった」

「高校生か。結構遅いな。まあ、それが彼の狙《ねら》いだったんだろうけど」

火浦は何気なく呟《つぶや》き、コーヒーを飲んだ。

「彼？　彼って誰？」

「あんたの親父《おやじ》さ」

時子は愕然とした。さっき見ていた夢が蘇る。雲に隠れた顔。

「どうしてあなたがそれを？」

思わず詰め寄る。火浦は時子の顔を冷たく一瞥《いちべつ》した。

「今は詳しく説明できないが、元はといえばあんたの両親のせいだ」

「え？」

火浦はかちゃんとカップを置き、テーブルの上で指を組んだ。

「我々の一族の不文律は知ってるね」

「えっ」

一族。不文律。あまりにも縁遠い言葉だ。どこかで聞いたような気がするが、時子には馴染《なじ》みのない言葉である。火浦は、時子の困惑に構わず続けた。

「なるべく一族以外の者と婚姻する。広く野に散る。血が濃くなるのを防ぐためだ。だが、あんたの両親は、似た能力を持っていたのに、一緒になってしまった。それで生まれたのがあんたтака。あんたの母親は気付いていなかったようだが、父親のほうはかなり早くに気付いた」

目を見てはいけないと思うのだが、火浦の黒い炎のような目から視線を外すことができない。

「何に、ですか」

「あんたの力が強大なことをだ」

「あたしの力？」

時子はあっけに取られた。力。力とは、何を指すのだろう。あんな気持ち悪いものを見ることが力なのか。

「そうだ」

火浦はにこりともせずに頷いた。

「ただでさえ父親は強い力の持ち主だ。自分がそばにいることで、娘の力の発芽が早期に誘発されることを彼は恐れた。力があるということは――強いということは、身の回りにあいつらを引き寄せることになるからだ。いくら強いとはいえ、敵が集まってくるのでは、倒される確率もずっと高くなる」

「そんな。まさか、それでお父さんは姿を消したと？」

「のっぴきならないところまで来ていたらしい。自分が遠ざかることで、娘の参戦を遅らせられると思ったんだろう。実際、そうなったようだし」

「そんな」

時子は目を伏せ、声を震わせた。

「あんたの母親はそのことには思い至らなかったようだな。仕方がない、あんたの両親はどちらも親戚《しんせき》とは没交渉だったし、どちらも早くに親を亡くしている。だが、もうそんなことを悔やんでも遅い。時間がない」

火浦の諦《あきら》めたような声に、時子は顔を上げた。

「時間がないというのは？」

「いずれ分かる」

時子の質問に、火浦の返事はにべもない。

「あなたはあたしの――味方なの？」

その声にこもった不安の響きを感じ取ったのか、火浦はふと意外そうな表情になった。

「味方、か」

自分に聞かせるように低く呟く。が、次の瞬間、無表情に時子を見た。

「分からない。それに、その言葉は無意味だ」

「無意味？」

火浦の言うこと一つ一つが、時子の知らないこと、知りたいことを増大させていく。

不安は胸の中で膨らみ、底知れぬ恐怖が身体《からだ》を包む。ほんの二週間前まで、母と二人穏やかな（いや、本当は穏やかではなかったのだが、今となってはそう思える）生活を送っていたのに、今あたしはどこにいるのだろう。なんと遠いところにいるのか。

「便宜上、敵という言葉を使ったけれど、本当は、その言葉が的確なのかどうかも分からない。俺《おれ》たちが置かれているのは、敵味方に分けられるほど単純な状況じゃない」

「いろいろな能力を持つ人がいるというのは聞いたことがあるわ。あなたもあたしと同じなの？」

「近いところにはいるが、ちょっと違う。俺は『洗濯屋』だ」

「『洗濯屋』」

そう呟いたとたん、時子の中で何かが弾《はじ》けた。

さっき見た夢が、頭の中でフラッシュバックのように蘇る。

遠ざかる父。遠ざかる老婦人。

揺れる灰色の風呂敷。風が吹いている公園。

誰かが立っている。小柄な影。時子を見ている――少女の時子を。

上品で優しい、それでいてどこかひんやりとした凄味を感じさせる老婦人だった。

ごめんなさいねえ。

彼女は、時子に向かってこっくりと会釈してみせた。

お父さんを出しておくわけにはいかないの。今すぐにでも、包まなきゃならないんだよ。洗って、叩《たた》いて、白くしたら返すから。

洗って、叩いて、白くしたら。時子はのろのろと繰り返していた。

そう。老婦人は笑みを崩さずに頷いた。

洗って、叩いて、白くしたら、返すからね。だから、ごめんね。

あの柔らかくて冷たい声が蘇る。あの時、父はどうしていただろう。離れたところにぼんやりと立っていたような記憶がある。

老婦人の言葉と笑みには、有無を言わせぬ迫力があった。もはや彼女のすることを変えることはできないという無言の迫力が。

時子はぼうっと、既に遠い存在になっていた父の後ろ姿を見送った。とぼとぼと歩いていく父の後ろで、時子に会釈し、微笑《ほほえ》みながら遠ざかっていく老婦人。時子はそれをただじっと見守っていることしかできなかった。二人が公園から出て行き、姿が見えなくなるまで、彼女はその場所を動けなかった。

時子は、少女の自分の伸びていく影を見たような気がした。

「——洗って、叩いて、白くする」

時子は呟いた。

「じゃあ、あの時お父さんを連れていったおばあさんは」

「恐らく『洗濯屋』だろうな」

火浦は曖昧《あいまい》な返事をした。

「あなたはお父さんを知っているの」

時子は身を乗り出した。聞きたいことは山ほどある。というよりも、本当に自分は何も知らないのだ、とひりひりするような焦燥感ばかりが胸の中に広がっていくのだ。

「それより、コーヒーカップを見て」

唐突に、火浦は視線を落とした。

釣られて時子も目の前のカップを見る。

コーヒーカップ？

まだ口をつけていないコーヒーが、天井の柔らかな光を映している。

ゆらっ、とその黒い円が揺れたような気がした。

揺れた？　地震？

見る間にコーヒーが溢《あふ》れ出した。

「あっ」

時子は腰を浮かせた。

何かがコーヒーの中に入っている。

丸いものが、きらっと鈍い光を放った。銀の卵？

目が吸い寄せられた。

溢れ出したコーヒーの間から、細い銀色のピンがぬうっと姿を現したのだ。

まさか、そんなことが。こんなことが起きるはずはない。

どっと全身から汗が噴き出し、さっき美術館で感じた恐怖が蘇る。

床から飛び出してきた無数のピン。

頭の中が真っ白になり、時子は立ち上がろうとした。

「待て」

火浦の鋭い声が頭の中に響き、テーブルの上で腕を強くつかまれた。

時子は逃げ出そうとするが、火浦の手は万力のように時子をつかんだまま離さない。

「落ち着け。逃げちゃ駄目だ」

「でも、そんな」

ピンは見る見るうちに伸びて、まるで筍《たけのこ》のようにコーヒーカップの中から迫《せ》り上がってくる。

時子の喉《のど》の奥がひくっと鳴った。

「大丈夫だ。『裏返せ』」

そんな。時子はパニックの気配と、それに耐えて働きかけようとする理性とを同時に感じる。

裏返せ／裏返せるの／嫌だ／怖い／なぜあたしはボウリングのピンを見るの／裏返せる。

頭の中で、ガラスにヒビが入るように、思考と感情のモザイクがピシピシと埋まっていく。

「裏返す」。どうすればいいの。ピンが迫り上がってくる。銀色に光っている。あたしの顔が小さく映っている。あたしの顔がどんどん近付いてくる。「裏返す」。なぜこれがこんなところに。

不意に頭の中で射るような閃光《せんこう》を感じて、時子は顔をしかめ、ふらついた。

細い細い光。しかし、強い光がどこからか頭の中に射した、そんな感覚だった。

ピシッという音を聞いた気がした。

近付いていた自分の顔が砕けた。

ピンの頭に入ったヒビが、たちまち無数の亀裂をピンに作っていく。

「あっ」

燃え尽きる前の線香花火のような音を立てて、ピンが崩れ出した。きらきら光る破片を散らし、コーヒーカップの中に落ちていく。

あっという間にピンは消え、コーヒーの表面に破片が浮いていた。

続いて、フィルムを逆回しにするように、皿に溢れ出していたコーヒーがカップを這《は》い登り、元のように納まった。

時子は瞬《まばた》きをした。

さっきと変わりない。白いカップの中に、黒いコーヒーがなみなみと注《つ》がれている。

時子は静かに震え出した。滑稽《こっけい》なくらいに、汗が流れている。抑えようとしても、全身の震えが止まらない。自分の中身が、一瞬別のものに変わってしまったようだった。

あの感覚は、頭に光が射したような感覚は、何だったのだろう。

時子は怯《おび》えたように、まだ自分の手をつかんだままの火浦の手を見、のろのろと彼の顔を見た。

「OK。それでいい」

火浦は相変わらず無表情だが、それでも満足げに頷いた。

彼はそっと手を離したが、つかまれていたところが赤くなっていて、時子は震える手でその部分をさすった。

「今のは、あなたが。どうしてそんなことが。あれを、あなたも見てた。あたしはピンを見るの。『洗濯屋』って」

自分でも、何を言っているのかよく分からなかった。頭の中があまりにも混乱していて、言葉が文章にならない。

火浦は落ち着き払って自分のコーヒーを啜《すす》った。

「俺は『洗濯屋』だからな。ジャンルが違う。あんたたちの『裏返す』『裏返される』という行為には全く関われないんだ。だけど、あんたたちが『裏返す』のを見ることはできるし、あんたたちが何を見ているのかも分かる。洗濯っていうのは、服のどこが、何で汚れているか見つけなきゃならないだろ？　あんたの場合はそれがボウリングのピンだ。あんたがいつも服を汚す原因はそれだと俺は知っている。だけど、俺にはあんたが服を汚すのを止めることはできない。俺に参戦はできない。言ってること、分かるか？」

「な、なんとなく」

時子は震えながら頷いた。相変わらず、膝ががくがくいっている。

「でも、今のは、あなたが」

こわごわコーヒーカップを見下ろした。今にもそこからまた「あれ」が飛び出してくるのではないかと気が気ではない。

「イメージさせただけだ。あれは本物じゃない。あれに『裏返される』ことはない」

「そんなことができるの」

「まあね。俺は特殊な『洗濯屋』なんだ。こんなことができる『洗濯屋』はたぶん俺くらいだろう」

火浦は平然と答えたが、時子の不安は更に募った。

イメージさせる。あんなものを好きな時にイメージさせられたのではたまらない。つまり、彼は時子をいつでも怯えさせ、支配下に置けるということではないか。やはりこの人はあたしの味方などではない。母を助けてくれるつもりもないらしい。今日ここに来たのは誤りだったのだ。

頭の中から、きらきらしたピンの破片が消えない。それは目の前でずっと揺れ続けていて、怖くてたまらない。自分がいかにあのイメージをおぞましく思っているのかを思い知らされていた。

斜め前に座っているこの男もそうだ。平然とコーヒーを飲み、恐ろしいイメージを送ってくる男。黒い影。禍々《まがまが》しい輪郭。美術館で、不吉に感じたのは正しかった。あの薬局もグルだったのだ。母があの電話番号をむしり取っていったことの意味に、もっと早く気付くべきだった。

「バッグを返して」

「どうするつもりだ」

「帰るわ」

「帰ってどうする。母親は眠ったままなのに？」

「あなたならなんとかできるというの」

「できないこともない」

時子は思わず火浦の顔を見た。

「本当に？」

「その件について相談する前に、もう少しつきあっていただけると有難いんだがね」

火浦は時子の視線など気に留めぬように、そっけなく立ち上がった。


部屋を出ると、そこは薄暗い廊下だった。

それまでにいた部屋は会議室っぽいと思っていたが、絨毯の敷かれた豪華な廊下は、ホテルを連想させた。

火浦は時子と並んで廊下を歩いていたが、「ご覧」と前方を顎で示した。

廊下の奥にぽっかりと明るい窓がある。

いや、窓の向こうはゴージャスな部屋だ。ゆったりしたソファに、何人かの男が座って笑いさざめいている。テーブルには、お酒のグラスと葉巻が載っていた。

火浦は構わず進んでゆく。時子は、いつ男たちが火浦と自分に気が付くかとハラハラした。が、火浦が窓のすぐ外に立っても、男たちは全く気付く気配がなかった。相変わらずリラックスした様子で笑い続けている。

「マジックミラーさ」

火浦は男たちを指差しながら肩をすくめてみせた。

「マジックミラー」

時子はぼんやりと繰り返す。ふと視線をずらすと、曲がり角の向こうの廊下に沿って、幾つもの明るい小部屋が並んでいた。廊下を歩いていくと、どの部屋もマジックミラー越しに丸見えである。まるで、等身大のドールハウスの断面を見ているような奇妙な気分になった。

「ここは俺たちが経営する会員制のクラブなんだ。馬鹿みたいに高い入会金と会費を取るんだが、ご覧の通り、おかげさまで大繁盛さ」

「まあ」

時子は後ろめたい気分を味わいながら、窓の向こうで無防備に寛《くつろ》ぐ人々を恐る恐る眺めていた。

「繁盛の秘訣《ひけつ》は、ロケーションのせいもあるが、従業員が聞き上手なことでね。彼らと話すと、なぜか気が晴れてさっぱりするという専らの評判だ。悩みを抱える孤独なビジネスマンが、その評判を聞いてどんどん会員になってくれる」

火浦の冷めた口調に、時子はハッとした。

「まさか」

火浦は頷いた。その目は、ネクタイを緩めて話に夢中になっている、経営者風の中年男を見つめている。

「そう。ここの従業員のほとんどは『洗濯屋』だ。俺ほどじゃないが、客に明るいイメージを送り込み、悩みを落とすくらいのことはできる」

時子はゾッとした。コーヒーカップから迫り出してくる銀色のピン。蒼ざめた自分の顔が映っている。

「そんな。なんて恐ろしい」

「恐ろしい？」

時子の呟きを聞いて、火浦は嘲笑《ちょうしょう》と軽蔑《けいべつ》の混じった顔を向けた。

「どうして？　社会に奉仕しているじゃないか。占い師やカウンセラーと同じさ。話を聞いてやって、すっきりさせる。元々、『洗濯屋』は実際に、占い師や飲み屋の主人など、人の話を聞く仕事に就くことが多かった。今じゃ精神科医になっている奴《やつ》もいる。

能力を社会に役立てられるという点では、あんたたちよりマシじゃないか？　孤独に自分たちの戦いを続け、毎日ビクビクして、何も産み出さないあんたたちよりは」

火浦の言葉が突き刺さった。

その通りなのだ。しかし、どうしようもないではないか。

時子は言い返すこともできず、ぼんやりテーブルに置かれた葉巻を見ていた。

「その先の部屋を見てご覧」

火浦は次の廊下の曲がり角を指差した。時子は躊躇《ちゅうちょ》する。

「さあ」

有無を言わせぬ口調に促され、時子は渋々廊下を進んだ。厚い絨毯はかなりの高級品らしく、ふわりとパンプスが沈み込んで音もしない。

廊下を曲がると、まるで水族館の巨大な水槽のような、大きな窓が目に入った。

巨大なマジックミラー。途中柱が何本か挟まれているが、かなりの大きさだ。その向こうの部屋も相当広い。サロン風になっていて、シックな色に統一されたソファがゆったりと配置されている。そのほとんどが埋まっていて、客たちが思い思いに寛いでいた。

照明を落としたサロンを一瞥し、時子はぎくっとした。

全身が強張《こわば》り、思わず後退《あとじさ》りをすると、どしんと火浦にぶつかった。

「おっと」

謝ることすら思いつかず、時子は火浦に寄りかかったままになっていた。火浦はじっと棒のように立っていて動かない。

客たちの中に、鈍く光るものがある。

こんなに。こんなに沢山。再び身体が震え出す。

水槽の中に、ガラスの破片が沈んでいるようだった。ちょっと見には海藻や小石に混ざって分かりにくいけれど、よく見るとそこここにキラキラ光る破片が沈んでいる水槽。

おぞましくてたまらないのに、時子の目はその破片の一つ一つを追っていた。気味が悪いのに、見ずにはいられないのだ。

完全な形のものはなかったが、身体の一部があの銀色のピンに変わっている人たちが何人もいる。

顔にアルミ箔《はく》を貼《は》り付けたみたいに、半分銀色になっている男。

背広から出ている部分が、つるんとしたピンになっている男。

かと思えば、銀色が継ぎはぎのモザイクみたいに顔に混ざっている女もいる。

それらが淡い照明を浴びて、動く度に鈍い光を放つ。それが、夕暮れの浜辺みたいにチラチラと部屋の中で光ってみえるのだ。

一箇所で、不完全ながら、こんなに大勢の「あれ」を見るのは初めてだった。無意識のうちに身を隠そうとしていることに気付くが、火浦は時子が自分の後ろに隠れようとするのを押しとどめているので、彼女は子供のように身体を縮めていることしかできなかった。

「あんなに大勢」

時子は低く呻いた。

「そう。あんなのを、この先ずっと相手にしていかなきゃならない」

火浦も声を低めた。

「ここは大丈夫。向こうはこっちに気付いていない」

「本当に？」

「あんたの母親は、脳ドックを受けていたね」

時子はハッとした。久しぶりに、病院のベッドに横たわっている母を思い出したような気がした。やはり見張られていたのか。

「脳の特定の部位が発達しすぎているか、もしくは圧迫されているかで、ああいうモノの見え方になるんじゃないかと考えていたらしい」

そんなことまで知っているなんて。

無力感ばかりが募る。抵抗しようなんて無理。こんなに沢山。

時子は口をぱくぱくさせた。

「――お母さんはそう思っていたみたいだけど、あたしは」

無意識のうちにそう呟いていた。

「あんたは？　どう思ってたの？」

火浦は興味を覚えたように時子を見下ろした。

「あたしは」

時子は唾《つば》を呑《の》んだ。

「別のことを」

「何を考えてた？」

心を操るような声に、時子は答えていた。

「あたしたちは——他人の精神的な歪《ゆが》みに反応しているんじゃないかと」

時子はやっとのことで消え入りそうに答えた。

「ほう」

火浦は感心したように言った。

時子はのろのろと話し続けた。

「妄想を持った人は、他人も自分の妄想に巻き込もうとする。その妄想に違和感を覚えてしまった人に対しては、余計に。それがあの現象なんじゃないか。だからあたしたちには攻撃的に感じられるんじゃないか。そんなふうに考えていた。あたしたちには、他人の妄想が、たまたまビジュアルとして見えるんじゃないかって」

この考えを口にしたことはなかった。はっきりと考えてみたこともなかった。だが、母が脳の研究に夢中になるにつれ、そんな気がしてきていたのだ。

「面白い。俺がどう考えているか知りたい？」

「ええ、知りたいわ」

時子は半ば惰性で答えていた。

「俺はね、こう考えた。あんたの言うように、あんたたちはある種の精神的疾患に反応しているんだと思う。そして、俺は、精神的疾患――それを疾患と見なすか特質と見なすかは人によると思うが――は、古い生命体の一種なんじゃないかと思う」

「生命体？」

「そう。見えないけれど、生命体」

火浦が頷くのが分かった。

「古くから『憑《つ》きモノ』と呼ばれてきたものがある。狐《きつね》とか、悪魔とか、先祖の霊とかね。あれは、実際に生命体が憑いているんだ。生命体の一部が、ああいう形で顕《あらわ》れたんだろう」

「ウイルスみたいに？」

「それはよく分からない。そういう実体のあるタイプじゃないのかもしれない。生命についで分かっていることなんて、ほんの少しだからな。我々の知識でカテゴライズできない存在なんて、幾らでもある」

火浦は淡々と続ける。荒唐無稽な話をしていると時子の理性は認識しているのだが、なぜか身体はその話を、真実味を持って受け止めていた。

「その生命体は、ウイルスが人間の身体の免疫を進化させてきたように、精神面での人間の進化を助けてきたはずだ。知性や霊感といったものは、その生命体の進化の副産物だったんじゃないかと思う。でなければ、こんなに速い、こんなに複雑な進化はなかっただろう」

鈍い光が、チラチラとソファの上で揺れている。

「そいつは、人間の身体の中にいつもいたし、大体は活動を抑えられてきた。けれど、進化は続いていて、どんどんその勢力は広がりつつある」

「あんなに沢山」

揺れる銀色の光。それはおぞましくもあり、美しくもあった。

「そう。これからも奴らは増える一方だろう。恐らく、この先、人類は肉体の生命体よりも精神の生命体が強くなる。世界を見ているとそう思う。あんたたちが敵と認知しているものの存在が普通になる。あんたたちはもはや少数派なんだ。あんたたちが長いこと続けてきたゲームももう終盤で、大勢は向こうに傾いている。これは、自然の進化の結果であって、善悪や勝ち負けの問題じゃない。あんたたちは苦しむだけだ。時代の趨《すう》勢《せい》は向こうにあるんだから」

さっきとは違う部屋に座っていた。

小さな部屋に、一人掛けのソファが二つ向かい合っていて、壁には作りつけのキャビネットがあった。

火浦に引きずられるようにしてやってきて、どのくらいそこにぼんやりしていたのか分からない。火浦は、何も言わずに時子と向かい合って座っており、彼女のショックが収まるのをじっと待っているようだった。

時子の頭には、巨大なオセロ・ゲーム盤が浮かんでいた。

ほとんどの駒《こま》は白で、隅っこに三つばかり黒い駒がある。しかし、あと僅《わず》かばかり残っている空白のスペースに駒を置かれたら、たちまち引っくり返されてしまうに違いないのだ。それも、遠からぬ将来。

少数派。火浦の言葉が頭に焼きついて消えなかった。

もう滅びる他ない生き物。

「どうしてボウリングのピンになったのか、きっかけを覚えてる？」

火浦が、煙草《タバコ》の火を点《つ》けながらさりげなく尋ねた。

時子は左右に首を振る。

「分からないの。子供の頃、ボウリングをやったことがなかったのに、いつのまにかボウリングのピンが出てくるようになって」

「知りたい？」

時子は再び怯えた顔を上げた。

火浦は、相変わらず落ち着き払っていた。向かい側のソファに浅く腰掛け、こちらに身を乗り出して静かに煙草を吸っている。

時子は疲れた気分になった。何も考えたくない。もう全ては終わっている。あたしにできることは何もないのだ。

「どうでもいいわ」

「『洗濯屋』が『洗う』時に」

火浦は例によって、時子の気分などお構いなしに話し始めた。

「力のある『洗濯屋』であれば――相当古くまで遡《さかのぼ》って『洗う』ことができる。それを応用すれば、あんたの母親もある程度まで戻せるはずだ。『呼び戻す』のとはまた別だが」

「お母さんを助けてくれるの？」

「俺に協力してくれれば」

ふうっと長く煙を吐き出す。

「あたしにできることなんか何もないわ。『裏返される』のを待つだけよ。あなたもさっき言ったでしょ、あたしたちは何も産み出さないって」

時子は暗い声で言った。

「現状ではね」

火浦はあっさりと答える。

「あなたは何が目的なの？　あたしを打ちのめすことが目的じゃないんでしょう」

「別に打ちのめすつもりはなかった。現実を認識してほしいというのはあったけどね」

「そうね。確かに現実を認識したわ。あんなに大勢いる相手を倒し続けるのは無理だってことは分かった」

「倒し続けることはない」

「でも、早晩『裏返される』でしょう」

「いいや」

火浦のきっぱりした口調に、時子は怪訝《けげん》そうな目を向けた。

「あなたはさっきから矛盾したことばかり言うわ。希望を持たせたいのか、絶望させたいのかさっぱり分からない」

「まずは現実を把握してもらうのが一番先だからね。希望はその後さ」

「つまり？」

火浦は真顔になり、更に身を乗り出した。

「俺は、あんたたちに戦線を離脱してもらいたい。もう毎日ビクビクして苦しまずに済むよう、この馬鹿げた徒労から解放したい」

時子はしげしげと向かいの男の顔を見た。

「そんなことが可能なの？」

火浦は真顔のまま頷いた。

「可能だと思うからこそ、あんたに協力してもらいたいし、俺はこれまでずっとあんたの親父と駆け回ってきたんだ」

時子は、当惑した顔で、小さなコーヒーテーブルの上に置かれたものを見下ろしていた。

「――これは、何？」

「『家』だよ」

「確かにそうだけど――いったいこれは何？」

もう一度質問を繰り返す。

ここは彼のオフィスらしかった。

さっきの小さな部屋で時子が落ち着いたあと、さらに別の廊下を通り、この部屋に通されたのだ。あの会員制クラブと皆同じフロアなのだから、かなりの広さを彼らが所有していると思われる。似たような暗い廊下をぐるぐる歩かされて、時子はすっかり方向感覚を失っていた。

整然としたデスク周りには、デスクトップパソコンや書類箱が置かれていて、現実的なビジネスの気配があることが時子をホッとさせた。何もない部屋や、マジックミラー越しの覗《のぞ》き見に、得体の知れない不安を感じていたからだ。

言われるままにコーヒーテーブルの前に腰を下ろすと、火浦は壁際のキャビネットから白い塊《かたまり》を取り出して、時子の前に置いたのだった。

小さな、ハガキ大の、白い家の模型。

寝殿造、という言葉を思い出す。

大きな平たい瓦屋根《かわらやね》を戴《いただ》き、高床式になった直方体の建物だ。かなり精巧な模型で、柱や障子の部分などもきちんと作ってある。素材は白木だろうか。

「これを見たことは？」

火浦はテーブルの上で腕を組み、模型と時子を交互に見た。

「いいえ。初めてです」

「これに入れることを『包む』というんだ。これに入れて、風呂敷に包んで、保管しておく」

「これに入れる？　何を？」

時子はますます混乱した顔になる。

「あ、あ、あんたたちさ」

火浦は当たり前のことのように答えた。

「え？」

「あんたたちの人格、つまり『裏返す』ことのできる人格をここに入れるんだ。精神的な待避所、というところかな」

それでもちんぷんかんぷんである。

入れる？　これに？　あたしたちを？　こんな、ハガキくらいの大きさしかない、小さな模型ではないか。これじゃあ、ハムスターが一匹入るかどうかだ。

もちろん時子の疑問は承知しているのだろうが、構わず火浦は続けた。いちいち説明していたら先に進まないというのもあるが、それが彼のスタイルらしい。

「ここに入れておけば——『包んで』おけば、皆とりあえず普通に暮らしていける。人によって、少しずつ反応は異なるけどね」

火浦はこつんと模型を軽く叩いた。

普通に暮らしていける。その言葉に時子はすがりついた。そんな手段がまだあるということが、目の前に輝いてみえた。それが実際にはどういうことなのか、全く理解してはいなかったが。

火浦は、時子の表情をじっと観察していた。自分の言葉が彼女に与える影響を見極めているようにも見える。

「『洗濯屋』の世界もどんどん変わっていてね」

火浦は話し始めた。

「保守派の『洗濯屋』は何かというと『包み』たがる。一時待避所と言えば聞こえはいいが、あくまでも待避だ。皆、『洗濯屋』に軟禁されているといってもいい。確かに当面『裏返される』ことは避けられるが、その場しのぎに過ぎないし、根本的な問題の解決にはならない」

保守派。あのにこやかな老婦人の顔が浮かぶ。

包まなきゃならないんだよ。

「一方で、俺たちみたいな急進派がいる。一時待避などせずに、もはや始まりのところまで遡って、徹底的に『洗って』しまおう、というグループだ」

「始まりのところまで遡る——」

その言葉が引っかかった。

時子が火浦を見ると、彼は奇妙な目で彼女を見返した。

「参戦のきっかけまで遡る」

きっかけ。さっき、彼が最初にボウリングのピンを見たのはいつかと聞いた。それと関係があるのだろうか。

「これまでの俺の経験によると、成人してから参戦のきっかけをつかんだ人間はいない。大体、『裏返せる』ようになるのは、十代の頭までだ。逆に言うと、成人した後に、一番最初に『裏返した』頃まで遡って『洗って』しまえば、もう『裏返す』能力はなくなる」

そこまで聞いて、時子はその行為の重大さに気付いた。

全てがなかったことになる。

あのおぞましい、恐ろしい、人生の多くを割いてきた時間の全てが。

時子は動揺した。それは願ってもない行為であるのと同時に、彼女の人生を否定する行為でもあることに衝撃を受けたのだ。真っ先に込み上げたのが「ひどい」という感想だったことにも、彼女は動揺していた。

「つまり、あなたたちは——あたしたちのような人間をなくしていこうとしているのね」

消え入りそうな声で時子は呟いた。

「――そうだ」

さすがに即答するのは抵抗があったのか、少し沈黙してから、火浦も低く答えた。

「病気を封じ込めるのと同じだ。なるべく発病を防ぎ、保因者を減らす。それしかあんたたちを解放する手段はない。かつては『裏返す』という行為に意義があったのかもしれない。しかし、今は全くその必要性や効果がないばかりか、あんたたちに一生続く苦痛をもたらすだけだ。こんな状態を続けるのは残酷だ」

彼の言うことは当たっているのだろう。むしろ、彼女が心の底で願っていたことを代弁してくれたといってもいい。

しかし、時子の心は重く沈んだ。自分が役立たずの、ただの異物だと断言されたような気がした。この境遇を呪《のろ》い、悩み苦しんではきたが、否定したことはなかった。

病気を封じ込める――発病を防ぎ――解放――効果――苦痛――残酷。

火浦の言葉の一つ一つが彼女を刺していた。病院で横たわっている母が、いなくなった父が、否定されたのだ。その人格も、人生も。火浦に筆で大きな×を付けられたような気がした。

「それで楽になれるのかしら」

時子は呟いた。

「『洗って』もらえば、それからは普通の人生が送れるの？」

時子に正面から見つめられて、火浦が初めてかすかに動揺するのが分かった。すぐにそれを打ち消したものの、その表情の僅かな変化は、時子に強い印象を残した。

「ああ」

火浦はきっぱりと肯定した。

「これまでのようなびくびくした生活とはおさらばだ」

火浦がかすかにみせた動揺が何にせよ、魅力的な申し出に思えた。鏡やガラスや雑踏に怯えることなく暮らしていける。それは、彼女にとっての悲願だったはずだ。

「お母さんはどうなるのかしら。『洗って』もらった後でも、ちゃんとこれまでのことを覚えていられるの？」

「記憶はなくならない。大丈夫だ」

心が動いた。びくびくしながら看病をするより、落ち着いた心境で看病をしたい。もし「裏返される」ことなく生活できるなら、何より心強い。

火浦は、時子の心の動きを正確に追っているようだった。彼女がほとんど火浦に「洗って」貰《もら》うつもりでいることにも気付いている。

「じゃあ、いつ――」と時子が口を開いた瞬間、火浦は掌を向けてそれを押しとどめた。

「その気になってくれたのは嬉《うれ》しいが、きちんと『洗う』には、それなりの準備と時間が必要だ。ここではできないから、移動しなければならない」

「どこに？」

すっかりその気になっていた時子はがっかりした。

「長野だ」

時子は顔を上げる。

「長野に、『洗濯』に使う専門の場所がある。年内には済ませよう」

時子の不満を宥《なだ》めるように、火浦はそう提案した。

「その前に、ちょっと協力してもらいたい」

改まった口調に、時子は反射的に背筋を伸ばした。

「あんたほどの潜在能力のある人間を『洗う』のは、さすがに大仕事だ。事前にある程度調べておきたい。特に、いったいどこが始まりなのか、当たりをつけておきたいんだ」

「どうやって？」

また不安が込み上げてきた。もう目の前にコーヒーカップはないが、またあんなものを見せられるのだろうか。

「イメージだけだ。あんたと一緒に遡る。『洗う』時は俺一人で遡らなきゃならない。服は着たままじゃ洗濯できないからね。その時に、右往左往するのは困る。その場所を予《あらかじ》め探しておきたいんだ」

なんとなくニュアンスは分かったような気がした。

「あと一つ」

火浦は人差し指を立てた。

「俺と一緒に、あんたの親父さんを捜してもらいたい」

時子は驚いた。

「お父さんを？　あなたはお父さんがどこにいるか知っているんじゃないの？」

「日常生活の親父さんはね。俺が捜したいのは、『包まれて』いるほうの親父さんだ。俺は『家』のそばまで行けても、中には入れない。俺ができるのは『包む』ことだけ。『家』に放り込んだり、引っ張り出したりはできるが、『家』の中は俺の領分じゃないんだ。あんたなら入れるはずだ。一緒に来てもらいたい」

再び頭が混乱した。何を言われているのか分からない。同時に、ふと思いついたことがあった。

「あたしほどの能力がある人間を『洗う』のは大変だと言ったわね。じゃあ、お父さんは？」

火浦はまた煙草を取り出し、火を点けた。

「恐らく、誰も『洗え』なかったんだろう。『包まれた』ままになっている。ばあさんたちの経験でも、さすがにあんたの親父を『洗う』のは無理だろうし、その気もなかったただろう。思うに、『包む』ので精一杯だったんじゃないかな。だから、親父さんはいつまでもあんたたちのところに帰ってこられないのさ」

「あなたでも？　あなたでも、お父さんを『洗う』ことはできないの？」

「だから、あんたの親父が『包まれて』いる限り、俺には『洗え』ない。『裏返せる』人格のほうの親父と接触しない限りね」

時子は火浦の説明を反芻《はんすう》した。筋は通っているように思える。

「分かったわ」

「ＯＫ。じゃあ、これを見て」

火浦は間髪を入れず、ガラスの丸い灰皿を引き寄せた。

「灰皿を？」

「そう。落ちる灰を見て」

火浦の手の煙草から、灰が落ちる。長い、綺麗な指だ。とても水仕事の「洗濯」をしているとは思えないような指。

灰が落ちる――落・ち・る――

ごぉっ、と耳元に風が吹いて、時子は反射的に目を閉じた。

次の瞬間、目を見開き顔を上げると、空に白い雲が浮かんでいる。

日暮れの空だ。ゆっくりと雲が流れている。

いつのまにか、またあの公園に立っていた。

公園は無人だ。足元を見ると、影が長く伸びている。

「これが、親父さんの連れ去られた公園か」

隣に火浦が立っていた。時子はぎょっとする。

「あなた、なぜここに」

「一緒に遡ると言ったろう」

この世界でも、火浦の輪郭はくっきりしていた。白っぽい夕暮れの公園で、黒く禍々しく存在している男。なぜか、そのことが今は頼もしかった。

「あっちから出て行ったの。追いかけることはできないかしら」

時子が出口を指差すと、火浦は首を振った。

「今はいい。俺たちは最初のきっかけを探しに来たんだから」

「ああ、そうね」

「もう少し遡る」

ごぉっ、とまた強い風が吹いた。揺れる木々が見え、飛び立つ鳥が見える。夜が見え、昼が見え、秋が見え、夏が見え、桜の花びらが舞い踊る。

きいん、という金属音が響いた。

冷たい空気。頬《ほお》に当たる風。がさがさと、マイクに雑音が入る。

だだっぴろい校庭。

眼下に並んだ全校生徒。

時子は壇上で息を呑んだ。

あの日の朝だ。

「これは？　これが始まりか？」

隣で火浦が尋ねた。

「いいえ、違うわ。でもかなり最初のほう。はっきりとあれを見た記憶はこの辺りからなの」

壇上で紙を広げたまま時子は答えた。

「なるほどね」

火浦は全校生徒を見回した。

「確かに、混じってる」

服を着た銀色のピンが、朝日を受けてきらきら輝いていた。火浦が隣にいるせいか、あまり怖くない。もうすぐあの連中から解放されると分かっているせいかもしれない。

全校生徒がざわめいていた。時子の寝ぼけた発言を聞いて、笑っているのだ。

「まだこれが始まりじゃないというんだな」

火浦は、きょろきょろと周囲を見回していた。が、何かに目を留めた。

「何？」

時子が尋ねると、火浦は返事もせずにいきなり朝礼台を飛び降りた。

「待って」

生徒たちを掻《か》き分けてどんどん校庭を後ろのほうに走っていく。時子は慌てて追いかけた。子供の波を押し分けて、火浦の背中を追いかける。

火浦は、がらんとした校庭の外れの、サッカーの白いゴールポストのところまで駆けていくと足を止めた。

「どうしたの」

息を切らし、ようやく時子が追いついても、火浦は厳しい目で辺りを見回している。

「いや。このゴールポストだけが、やけに鮮明だった。生徒たちの顔はあやふやなのに、ここだけ浮いて見えた。何か意味があるのかも」

「さあ。思い出せないわ。壇上から見て、目についただけじゃないかしら」

「もう少し遡る」

「これ以上何も思い出せないわ」

時子はそう訴えたが、再び耳元で風が鳴る。太陽と月が回り、季節が逆流する。

「見ろ」

肩を突つかれ、時子はハッとした。

曇り空。肌寒い。思わず両腕をさする。

辺りは人気がなかった。家の近所であることは確かなのだが。

ひょこひょこと、二人の前を子供が歩いていた。

「あっ」

幼い時子。白い箱を大事そうに持って、肌寒い道を歩いている。

全く記憶にない光景だ。

時子は興味深く、歩いていく少女を眺めた。あんなんだったんだ、あたし。あれは、ケーキの箱。きっと、お母さんが焼いてくれたケーキだ。それを持って、誰かの家に行くところらしい。

「全然覚えてないわ」

「しいっ」

二人は少し離れて少女のあとを追った。

寒いせいか、町に人気がない。幼い時子は、すたすたと一人で道を進んでいく。

「淋《さび》しいところだな。どこだ、ここは」

「分からない。友達の家に行く途中だと思うけど」

少女は畑の残る住宅街の道を縫って歩いていく。見覚えのあるところに出た、と思ったら、時子が通っていた小学校の校庭の脇道《わきみち》だった。

少女はちらっと校庭を見る。白いゴールポストを眺めている。塗り替えられたばかりのようで、ピカピカだ。それが印象に残ったのだろう。

「だからゴールポストが、後からも出てきたのか」

火浦が呟いた。

少女は再び早足で歩き出した。いったいどこに行くのだろう。何も覚えていない。

完全に町外れまで来てしまった。

「これ、本当にあたしの記憶？」

「しいっ、黙って」

火浦が時子の肩を押さえた。

「聞こえるか、あの音？」

「えっ？」

二人で耳を澄ます。遠くから、がらがら、ぱーん、という音がする。

何かが弾けるような、明るい破裂音。

「これって、ボウリング場の音じゃないか？」

火浦が低く呟いた。時子は「あっ」と思う。確かにあれは、ボールがピンを跳ね飛ばす時の音に聞こえる。

でも、こんなところにボウリング場なんてあったっけ？　時子は首をひねった。

がらがらがら、ぱーん。がらがらがら、ぱーん。

音は徐々に大きくなってくる。

「いや、違うな。似てるけど、ボウリング場の音じゃない」

火浦が言った。

「じゃあ、これは何の音なの？」

「あそこか？」

火浦が、唐突に前方を指差した。

薄暗い空の下に、古い工場らしきものが浮かび上がっていた。そこまでの道は一本道だ。どうやら、少女はその工場に向かっているようである。

あんなところに、何しに行くんだろう？

がらがらがら、ぱーん。音はいよいよ大きくなってくる。

工場の門の中に、大きなトラックが見えた。荷台を傾けているのが分かる。

「あっ。分かった」

火浦が小さく叫んだ。

少女はためらうことなく、工場の門をくぐる。二人で中を覗きこむと、積み上げられた空き缶の山が見えた。

奥に、小さな家が見える。観音開きになったドアの向こうに、弱い明かりが見えていた。少女はそこに入っていく。

時子は、突然激しい恐怖に襲われた。全身が揺さぶられ、風景がぶれる。

「**やめて！**」

ひときわ強い風が、時子の全身を包んだ。


次の瞬間、二人は静かなオフィスに座っていた。

時子は肩で息をし、全身にびっしょり汗をかいている。

火浦は目を大きく見開き、そんな時子の顔を真剣に見つめていた。

灰皿の上に置かれた煙草から、細い煙が立ち昇っている。

時子は、震えるように溜息《ためいき》をつき、テーブルの上でしっかり握りあっている二人の両手を見た。

「——今のは？」

「あんたに弾き飛ばされた」

火浦は憮然《ぶぜん》とした声を出した。

「あの続きを見ようとしたら、あんたに拒絶された。驚いたぜ、こんなことされるのは初めてだ」

火浦も小さく溜息をついた。

互いに目を逸《そ》らし、のろのろと手を離す。よほどきつく握っていたのか、指が痛かった。

「あれがきっかけだったことは間違いないな」

火浦が呟いた。

「あの町外れの工場が？」

時子は蒼ざめた顔で火浦を見た。あんなに鮮明だったのに、今はテーブルを挟んで狭い部屋に向かい合っていることが信じられない。

「うん。ボウリングのピンに置き換えられてたわけも分かった。あの音のせいだ。あれは、空き缶の廃品回収工場だろう。トラックが集めてきた空き缶をあそこで地面に落とす時の音が、ボウリング場の音に似ているんだ。あとでボウリングを知った時に、あの音と同じだと無意識のうちに気が付いていたあんたが、イメージの中でボウリングのピンに置き換えたんだ。ボウリングのピンが、みんな銀色になっていたのも頷ける。空き缶は銀色に光ってみえるから、そのことがどこかに残ってたんだな」

「あそこで、何があったのかしら」

時子は額の汗を拭《ぬぐ》った。

覚えがない。全く。しかし、あの工場の中の家から漏れる明かりを見た瞬間、凄まじい恐怖を感じたのだ。

「それが、全てのきっかけだな。分かった。あとは俺が一人で調べる」

火浦が頷くのを、時子は不安げに見る。

「『洗う』時は、あたしにもあそこで何があったか分かるの？」

「たぶんね」

二人は黙り込み、火浦は煙草の残りを吸った。

時子はぐったりとした疲労感でいっぱいだったが、火浦は何事かじっと考え込んでいる。

「よし、もう一仕事だ」

煙草を灰皿に押し付けて、火浦は白い家の模型を引き寄せた。

時子は唾を呑み、背筋を伸ばす。

「気持ちを切り替えて。深呼吸して」

火浦が低く囁《ささや》く。時子は言われた通り深呼吸した。

「目を閉じて」

目を閉じる。工場。ゴールポスト。直前に見たもののイメージが押し寄せてくる。忘れるのよ。

「さあ、目を開いて、これを見るんだ」

時子は目を見開き、火浦が突き付けた白い模型が視界いっぱいになっているのを見た。

穏やかな青空が広がっている。

暖かく、快適な陽気だ。顔にぽかぽかした陽射しが当たる。

気持ちいい。

時子は反射的に伸びをしていた。少し前の、幼い頃の光景の肌寒さが身体に残っているだけに、心地よい空気をいっぱいに吸い込む。

「寛いでないで、急いでくれ」

いきなり耳元で冷たい声を聞き、時子は慌てて振り向いた。

「あっ」

火浦が立っていた。が、彼女が見ていたのは彼ではなく、彼の後ろの建物だった。

こんな大きな建物だったの。

そこに、さっき見た白い模型が建っていた。

いや、模型ではない。白木造りの、見事な家が青空を背にして聳《そび》えているのだ。

かすかにカーブを描いた堂々たる瓦屋根。廊下に囲まれた障子がずらりと並んでいる。

家の周りには、よく掃除された玉砂利がしいてあり、それを囲むように石畳の通路が延びていた。

「ここはどこ？」

「一時待避所さ」

時子が尋ねると、火浦は肩をすくめた。

時子は呆然《ぼうぜん》と周囲を見回す。

見渡す限りの、ゆるやかな丘陵地帯である。

午前中なのか、夕暮れなのか、空を見ただけでは分からない。

古そうな森が点在する中、整然とした石畳が延びていた。あちこちに、似たような建物が聳えている。

「これは日本なの？」

「まあ、日本だといえば日本だ」

奇妙に懐かしい感じのする場所だった。ずっと前からここを知っていたような気がする。

「それより、中を見てきてくれ。たぶんここは空っぽだと思うが」

火浦は障子を指差した。明かりが点《とも》っている気配はなく、確かに人気はない。

時子は言われるままに階段を登り、障子をがらりと開けた。

中は薄暗かった。お堂のような広い部屋があり、隅に畳んだ布団が積み上げてある。

誰かが生活している様子は見受けられなかった。

一応、一通り家の中を見てみる。和風の風呂とトイレ、台所と和室が幾つかあるが、がらんとしていて何もない。

「誰もいなかったわ」

石畳の上で待っていた火浦に声を掛ける。

「分かった。じゃあ、他の家を見てくれ」

不思議な気分だった。どうしてこんなところを歩いているのか、考えると頭がこんがらがってくる。

しかし、空は青く、空気は暖かく、どこまでも懐かしく静かな風景が続いている。

ずっと昔から、こうして火浦と並んで歩いているような気がしてきた。そして、いつまでもここを歩き続けているような気になる。

一つ一つ家を見ていくのは思った以上に大変だった。家が丘に点在している上に、呼び鈴がないので、いちいち障子を開けてみなければならない。五つも見るうちに疲れてきた。そして、どれもが空き家だった。誰かが長いこと生活をしていた跡のある家は見当たらない。

「おかしいな。こんなに留守だなんて。『包まれた』ままになっている人間はかなりの数になるはずだ」

火浦は厳しい表情になって、周囲を見回している。

「何が起きているんだ？」

時子は、もうどうでもよくなっていた。穏やかな風景の中を、無心で歩き続けることに意義を見出《みいだ》していたのだ。

こんなところでずっと暮らせたら。何も心配せずに、のんびりと暮らせたら、どんなにいいだろう。

火浦が時子の表情に気付き、肩をつかんで揺すぶった。

「おい、俺はあんたを『包む』気はない。この場所にとりこまれちゃ駄目だ。ここはまやかしの場所だ。一見長閑《のどか》に見えても、ただの収容所なんだ」

「綺麗なところだわ——静かだし、心地好い」

「先は長い。行くぞ」

火浦は時子の腕をつかみ、ずんずん足を速めた。仕方がないので、時子も足を速める。

更に数軒の家を調べたが、人っ子一人いない。どの家もきちんと片付けられ、布団が積み上げられている。

「おかしい」

火浦は蒼ざめた顔で呟いていたが、時子は歩き疲れて無言だった。

あの布団を広げて、ぐっすり眠りたい。一軒ごとに、そんな誘惑が強まっていく。

「どこにいるんだ？　そう遠くは家を離れられないはずなのに」

火浦の表情はますます厳しくなっていく。

雲が流れる。風景はあくまでも長閑で、百年も同じ状態が続いているかのようだ。

ひょっとすると、ここでは日も暮れないのだろうか。永遠というのは、こういうことを指すのかもしれない。

時子はそんなことを考えながらほとんど惰性で石畳の上を歩き続けていた。文字通り、足が棒のようだ。

今日はなんていっぱい歩いているんだろう。ビルの中のふかふかの絨毯を歩き、過去の町を歩き、こうして見知らぬ桃源郷を歩いている。そのどれもが遠い出来事のように感じられる。

突然、火浦の足が止まった。

時子はぼんやりと彼の顔を見上げる。

「誰か、いる」

「えっ？」

火浦の視線の先を追うと、小高い丘の林の間に、明かりの点っている障子が見えた。

「本当だわ」

「急ごう」

二人はがぜん早足になり、明かりの点っている家を目指す。

うねうねとした坂道は林の中を迂回《うかい》していて、もどかしいくらい目的地は近付いてこなかった。

「くそっ」

火浦が舌打ちする。

「やっと見えてきたわ」

時子は安堵《あんど》の溜息を漏らし、最後の坂を登った。

障子が開いていて、誰かが縁側に腰掛けているのが見えた。逆光になっていて、それが男なのか女なのか分からない。

「顔が見えない」

火浦が呟く。

二人は息を潜め、足音を殺してそっと近付いていった。

「女の人だわ」

長い髪が見え、身体の輪郭が分かり、時子は呟いた。

突然、女が振り向いた。

時子と火浦は絶句した。二人でまじまじと女の顔を見つめる。

女は無表情のまま、こちらをじっと見つめ返す。

「い、い、お母さん！」

縁側に座っている暎子に、時子は悲鳴のような大声で叫んだ。

第四章　十二月六日　土曜日

ひとすじの風が頰《ほお》を撫《な》でた。

そう思ったのは、自分の髪が一房、頰にかぶさったからだった。

暎子は、柔らかな光を感じた。温かい膜が身体《からだ》を包んでいる。

その心地好さに、顔に笑みが浮かぶのが分かった。

あたし、笑ってる。そう心の中で呟《つぶや》いた。

が、次の瞬間、すうっと墜落するように意識が冷めた。

なぜ笑っているの？　笑ってる場合なの？　あたしは今どこにいるの？

ゆらり、と全身が揺れたような気がして、彼女はハッと目を覚ました。

目を覚ました？　あたしは目覚めたの？

一瞬、パニックに襲われた。あたしは——目覚める前のあたしは、どこで何をしていたんだっけ？

我に返り、彼女は背筋を伸ばすと周囲を見回した。

夕暮れ時のようにも、朝の陽射しにも見える光景だ。

かすかにけむる、長閑《のどか》な丘が広がっている。見渡す限りのゆるやかな丘陵地で、先は見渡せない。ところどころに整然とした瓦屋根《かわらやね》が見える。

ここは奈良かしら。似たような景色を見たことがあるような。

凌《しの》ぎやすい、ほどよい気温だ。

何気なく振り向いた暎子は、そこに建っている巨大な建物にぎょっとした。

和風の、大きな平屋建てだ。立派な瓦屋根。どことなく、寺院のように感じられる。建物は新しく清々《すがすが》しいが、威圧感があり、近寄るのに躊躇《ちゅうちょ》を覚えた。

何なのだろう、これは。やけに新しく、よそよそしい。でも、どこかで見た事のある建物だ——それも、俯瞰《ふかん》して、どこかから見下ろしたという印象があるのだが。

暎子はそっと建物に近付いた。靴の下で玉砂利が大きな音を立てる。

足元を見下ろすと、玉砂利は隙間《すきま》なくどこまでも敷き詰められていて、林に続いていた。林はヨーロッパの風景画のような古い広葉樹林で、うっすらと靄《もや》が掛かっている。

見事に均一な玉砂利の間には、石畳の道が延びており、あちこちに向かっていた。

どこに続いているのだろう。

暎子はぼんやりと道の行く手を眺めていたが、とにかく建物の中を見なくては、と思い直して一番近くの石段に向かった。どっしりとした石積みの土台に上がり、大きな障子に手を掛ける。

障子は思いのほか軽く、からりと動いた。

そっと中を覗《のぞ》きこむ。

薄暗く、無人だった。大きな柱が整然と列をなして聳《そび》えているが、全く何もない長方形の土間である。仏像や祭壇の類《たぐい》も見当たらず、文字通り何も置かれていないし、壁にも何も飾られていない。

そっと中に入り、歩き回ってみるが、調度品もなく、ずらりと並んだ障子越しに光を感じられるだけだ。

静謐《せいひつ》な空気。秩序の感じられる落ち着いた気配。

じっと耳を澄ませてみるが、何も聞こえてこない。

あたしは何をしているの？　ここはいったい何なんだろう？

暎子はこめかみを押さえ、目を閉じた。頭の中がもやもやとして、灰色の渦を巻いている。何か重要なこと、何か恐ろしいことがあるはずなのに、彼女自身が思い出すのを拒んでいるのだ。こんなことをしている場合ではない。のんびり突っ立っている場合ではない。何かがそう告げるのに、全身が弛緩《しかん》してしまっていてのろのろとしか動けない。

何か、灰色のものが頭の中で揺れる。

柔らかい手触りが蘇《よみがえ》る。薄くて、僅《わず》かにグラデーションのかかった灰色の何かが、さらさらと音を立てて頭の中で揺れている。光がチラチラと瞬《またた》く。そう、光が近くにあった。柔らかい手触り、灰色のさらさらした何か、人工的な光。

息苦しくなって目を開ける。背中に冷たい汗を感じる。

あたしは、ここに来た。誰かに連れてこられた——

そんな文章が頭に浮かんだ時、サッと障子の向こうに黒い影が横切った。

反射的に身体が動いていた。しかし、意識と身体がかすかにずれているようだ。自分の身体を遠隔操作しているみたい。それでも、かつてのように機敏ではないが、足は小走りになっており、明るい戸外に飛び出していた。

「待って！」

暎子は叫んでいたが、その声は聞こえない。いや、自分が叫んだことは分かっているのだが、壁越しの声のように、やけに遠くでくぐもって聞こえるのだ。

柔らかな陽射しの中を、少年が走っている。

昔の子供だ。着古した綿のシャツに灰色の半ズボン。坊主頭の少年の後ろ姿が、石畳の上を遠ざかっていく。

「待って！」

その背中に奇妙な懐かしさを感じながら、暎子は追いかける。

小さな鈴を振っているような透明な音が響いていたが、そのことに気付いたのは、少年を追いかけ始めて暫《しばら》く経ってからだった。それにしても、随分長いこと追いかけているはずなのに、ちっとも疲れない。ひょっとして、あたしは夢を見ているのだろうか?

やがて、曲がり角で何かがキラッと光ったので、ようやく暎子は納得した。

ああ、あの子は輪回しをしているんだわ。

話には聞いたことがあったけれど、実際に輪回しをしているところを見るのは初めてだった。かすかに歪《ゆが》んだ銀色の輪っかが、少年の前でくるくると回っている。

初めてなのに、なんだか懐かしい。そして、なんだか恐ろしい——

銀色の輪を回しつつ走る少年のふくらはぎを見ながら、暎子はざわっと鳥肌が立つのを感じた。あの音を聞いていると、黄昏《たそがれ》どきの道がどこか別の世界に続いていて、この世の果てまで連れていかれてしまうような気がしてくる。

だけど、追いつかなければならない。あの子に追いついて、そして——

暎子は徐々に距離を詰め、少年の背中はすぐ近くに迫っていた。

林の中の道を抜けたところで、不意に少年は足を止めた。

思わず暎子も足を止めると、少年がのろのろと振り向いた。

色白の優しい顔が暎子を見る。

「帰れない」

くぐもった声が、頭の中に響いてくる。

「帰れないんだ、ずっと道を探しているのに」

それが少年の声だと気付く。彼の口は動いていないのに、彼が暎子に話し掛けているのだと分かる。淋《さび》しげな、優しい声。

「どこに帰るの。ここはどこなの」

暎子の声が、少年に話し掛けている。やはり、彼女も口を動かしていないのに、声は少年に聞こえているのだ。

「帰れないんだ。帰れないんだ。僕は、みんなと一緒になるのは嫌だ」

少年は、悲しそうに繰り返した。

「みんな？　みんなって、誰？　どこにいるの？」

少年はますます悲しそうな顔になり、首を振ると、そっと遠くを指差した。

「え？」

暎子は少年の指先が示すところを見る。

遠くに、周囲より高くなった丘が見えた。そのてっぺんに、大きな建物がシルエットになって見える。まるで、昔の寝殿のような、平らな建物だ。

「あれは何なの？」

そう質問したが、もう少年は駆け出していた。

鈴の音に似た銀色の輪の音が、少し ずつ遠ざかっていく。

林の中に少年の姿が消え、暎子は彼を追いかけるのをあきらめた。

みんな。みんなはあそこにいる。

暎子は、あの建物を目指していくことにした。遠目にも、かなりの大きさの建物だということが分かる。確かに、大勢の人間を収容するにはぴったりの建物だろう。

だが、みんなとは誰なのか。

じっくり考えてみなければならない問題のような気がしたが、暎子の思考能力は、かつてとは異なる回路で動いているようだった。

暎子は歩き続けたが、なかなかあの建物は近付いてこない。少し道を逸《そ》れると、たちまち見えなくなってしまい、方向感覚がつかめなくなる。

それにしても、静かなところだ。さっき見かけたあの少年以外に、全く人影を見ていない。鳥の声もしないし、車の音もしない。奈良公園みたいな、とても広い庭のようだ。大きなお寺の境内なのだろうか。国立公園とか、山の中とか。

暎子はそのうちにあの建物を目指していたことすら忘れて、惰性で歩き続けていた。全く疲れないし、空腹も覚えない。

少しぼんやりすると、たちまち時間の感覚を失ってしまう。

やっぱり夢を見ているのかしら。なんて長い夢。こんなふうに、ずっと連続した夢を見るなんて、今まで経験したことがないんじゃないかしら。

世界は静かで、長閑で、暖かい。

いつも太陽は同じ位置にあって、ちっとも動かないように見えた。

あたしは進んでいない、と暎子はどこかで感じていた。歩いているように見えても、実はずっと同じ場所に佇《たたず》んでいるみたいだ。

疲労感はないのだが、ずいぶん時間が経過したように思えるので、疲れたような気がしてきた。いや、これくらい歩いたら疲れるはずだ、というこれまでの経験が彼女にそう錯覚させているらしい。

何軒も通り過ぎてきた、日本家屋が目に入った。

小高い丘の上にあり、林に囲まれた平屋建ての家。

みんな似たような造りなのだが、なぜかその建物は好ましく見えた。心を惹《ひ》かれた。

それまでも、目に付いた建物は中を覗いてきたのだが、どこも無人だった。布団がきちんと畳んであり、最近まで誰かがいた気配を感じた家もある。あの少年が言ったように、「みんな」はどこか離れたところにいるのだろう。

暎子はするするとその家の中に入っていった。

縁側に、静かな光が当たっている。

畳まれた布団を広げ、横になると、懐かしい、日なたの匂《にお》いがした。

この家にしよう。

彼女はそう決心し、そこで眠ることにした。

何もかも忘れ、彼女は何時間も、何日もぐっすりと眠った。いっこうに日は暮れず、目を覚ますといつも同じ時間帯に思えた。いったいどのくらいの時間が経過したのか、全く分からなくなっていた。

いや、本当に眠っていたのかどうかも分からない。夢の中での眠りなど、眠りと呼べるだろうか。この実感のない世界での安らぎは本物なのだろうか。身体の片隅でそんな声が聞こえたが、彼女はすっかり思考を放棄していた。長年、何かに苦しんできたし、休むことなどなかった。そういう記憶だけが身体に残っていて、だから今はこうしてつかのまの惰眠を貪《むさぼ》る権利があるのだ、と主張する声に従っているだけだった。

そんな始まりも終わりも分からないような時間の中で、彼女は繰り返し夢のようなものを見た。夢の中の夢の中の夢。そんなイメージが何の意味を持つのか、考えもしなかったが、それはしばしば彼女の元を訪れた。

ざわざわという喧騒《けんそう》。

そこは、大学の大教室だった。暎子は女子学生になって、階段状の席に着き、正面の大きな黒板を見ている。教室は八割がた埋まっていた。まだ講師が来ていないので、学生たちはめいめいお喋《しゃべ》りをしているのだ。

懐かしい学生の感覚。こんな日々もあった。世界は単純で、目の前には開かれた未来が広がっている。自分は若く聡明で魅力的で、そんな自分を待ち受けるのは輝かしい未来に違いないという根拠のない自信に溢《あふ》れている。懐かしい愚かさ。いとおしき愚かさ。実際の世界は、矛盾と妥協、困難と挫折《ざせつ》に満ちているのに。

女子学生の暎子は笑う。聡明で美しく、男子学生に人気のある暎子は若さと自信に溢れている。そう、こんな日々もあった。

そこへ誰かが入ってくる。

一陣の風のように、素早く歩いてきて壇上に向かう。

教室の雰囲気が変わる。学生が座りなおし、注目する。

長身の影が壇上に立つ。顔は見えない。それは影だ。しかし、次の瞬間、その顔はサーチライトになる。強烈な白い光が、大教室の中を放射し、暎子の顔も照らし出す。

鮮烈な光が頭の中に射し込み、暎子は真っ白になる――

イメージはそこで途切れる。

真っ白になった頭の中で、またゆるゆると時は過ぎる。

柔らかな陽射し。暖かい縁側の空気。暎子は布団の上で身体を丸めてじっと横になっている。眠っても、眠っても、打ち寄せる波のように眠気が襲ってくる。

眠っているのか、起きているのか。どこにいるのか。なぜここにいるのか。

暎子の思考は停止していた。

しかし、またあのイメージがやってくる。

階段状の大教室。教室を埋める学生たち。若き女子学生の暎子。

風のように入ってくる影。壇上から教室を照射する白い光。

頭の中を照射される暎子。途切れる映像。

なぜこのイメージなのか。

照射される光。

かすかに残った理性的な部分が考えている。

おかしい。このイメージはどこかおかしい。どこかに大きな誤りがある。しかし、それが何なのかはちっとも思いつかない——

ざわざわという喧騒。

繰り返されるイメージ。

おかしい。何かがおかしい。どこかが間違っている。

ふと、時間の循環の中で目を覚ます。

静かな家。柔らかな陽射し。変わらない。何も変わっていない。

のろのろと視線が動き、何かが目に留まった。

縁側に誰かが座っている。ひっそりと、こちらに背を向けて腰掛けている。

俯《うつむ》き加減の後ろ姿。

「どなた？」

暎子は身体を起こし、尋ねていた。

影は振り向いたが、そこには顔がなかった。灰色の顔に、なんとなく目鼻がぼやけているのが窺《うかが》えるが、かろうじて口だけがあり、それがのっそりと動いた。

「子供が来ただろう」

「え？」

カサカサした、奇妙な声だった。

「男の子だよ。来ただろう」

「いいえ。来てません」

「来たはずだ」

奇妙な押し問答が続いた。暎子は否定するのだが、同じ台詞《せりふ》が繰り返される。二人の台詞には抑揚がなく、感情もない。

暫く沈黙があって、影はよろりと立ち上がった。

「困るんだよ。みんなあそこに集まっているんだ。あの子も来ないと困るんだよ」

「みんな、何をしているんですか、あそこで」

「相談しているんだよ。みんなあそこに集まっているんだ」

影はブツブツと呟きながら、のろのろと歩いていき、見えなくなった。

あそこに。

暎子はそう口に出してみた。久しぶりに立ち上がり、縁側から外を眺める。

遠くに、大きな屋根が見える。あそこに。

部屋の中に戻り、座ると、縁側に指が見えた。

五本の指が、縁側を摑《つか》んでいる。誰かが床下にいる。

「誰なの？」

ぬっと出てきたのは、いつか見た少年だった。輪回しをして走り去っていった少年。

「行った？」

少年は、こわごわ辺りを見回した。

「何が」

「僕を捜しにきた人」

「ああ、行ったわ。あなたが来ないと困るんですって」

「帰りたいんだ」

少年は、暎子から目を逸らし、遠くを見つめて呟いた。

「ここにいるわけにはいかない。僕は帰らなくちゃ」

彼の横顔を、日の光が優しく照らし出している。遠い日の横顔。

が、その時、暎子の中で何かが動いた。動くものが自分の中にあるということすら、忘れていた。

偽りの光。

そんな言葉がふっと心に浮かんだ。そして、その言葉は少しずつ彼女の中で重みを増していった。偽りの光。偽りの。何かがじわじわと心の中に染み出してくる。封印していた何か。どす黒い、不安定な感情。

これは、本物ではない。ここは、本物ではない。

ぞっとするような不安が込み上げてくる。あたしはなぜここにいるの？　ここはいったい何なの？

いつのまにか、少年の姿は消えていた。

消えたのか、そもそも存在していなかったのか。

暎子は再び縁側に出て、さっき見た影のようにそこに腰掛けた。

偽りの世界。かすかに煙る森。明るい空。あたしはいつからこうしているのだろう。

何かを考えなければならない。何かを思い出さなければならない。大教室。繰り返し見たあのイメージには、誤りがある。サーチライトのような白い光が頭に射し込むあの瞬間のあとに、何があったのだろう。

白い光。暎子は考えようと試みる。

その時、何かくっきりしたものが近付いてきた。

この柔らかな光の中の生き物ではない、輪郭の濃いものが。

「お母さん」

声が聞こえた。その何かが言ったのだ。お母さん？　お母さんと呼ばれるなんて。あたしは、階段教室にいる女子学生のはずなのに。

暎子はのろのろと顔を上げた。そして、そこにいたものを目にしたとたん、凄《すさ》まじい悲鳴を上げた。


「お母さん？」

こちらを見た暎子が、突然悲鳴を上げて逃げ出したので、時子は驚き、傷ついた。あたしの顔を見て逃げ出すなんて。

ふと、思いついて火浦を振り返る。厳しい表情の火浦がそこにいた。ひょっとして、彼を見て悲鳴を上げたのかしら？

「追いかけよう」

火浦に言われてハッとすると、暎子はもう庭に飛び出し、森に向かって駆け出していた。

なんだかとても足が速い。お母さん、あんなに足が速かったかしら？

早足で追いかけるが、母の背中はなかなか近付かなかった。

走っている自分もへんな感じだ。ここに来てから、ちっとも疲れない。さっきまであんなに足が疲れていたのに、疲労感は消えていた。

「なんで悲鳴を上げたのかしら」

「分からん。そもそも俺《おれ》たちが彼女からどう見えているのか分からない」

「どう見えているって？」

「俺たちが見ているここの世界も、しょせん仮のビジョンに過ぎないからな」

「仮のビジョン？」

「共同幻想で産みだされ、作り上げられた世界さ」

「本当はどういう世界なの？」

「さあね」

時子は気味悪くなった。「あれ」の本当の姿がボウリングのピンに置き換えられるように、ここの真実の姿も、こんな居心地のよい美しい世界に置き換えられているということか。

「真実」の姿は、もしかして、ぼろぼろのおぞましい廃墟《はいきょ》か何かなのかもしれない。

自分の存在自体が不安になる。あたしは本当にあたしなのか。思わず、手や足を見下ろしていた。この、見えている姿、感じている姿、自分だと思っているあたしは本当の姿なのか。

「随分足が速い。時間の感覚が、ちょっと違うのかもしれん」

いっこうに近付かない暎子の背中を追いかけながら、火浦が首をひねった。

「どこに向かっているのかしら」

石畳の上を走っていく暎子は、古い絵のように霞《かす》んでいた。闇雲《やみくも》に逃げているという感じではなく、どこか目指している場所があるように思える。

「どうして他に誰もいないのかしら。他には『包まれて』いる人が存在しないとか」

時子は周囲に目をやった。

どこまでも続く森。整然とした石畳。いっこうに日は暮れず、柔らかな陽射しが降り注ぐ、理想郷。だんだんそれが奇妙に、不安に思えてくる。ここはやはりヘンだ。

「そんなはずはない。かなりの人間が『包まれて』いるはずだ」

「ここは見た目よりもずっと広いのかもしれないわ」

暎子が前方の森に吸い込まれるのが見えた。

「急げ。見失う」

火浦が足を速めた。

なんだか、走っているというよりも、飛んでいるような気がした。足の裏に地面が感じられない。

「見て。あれは、何？」

木々の切れ目に見えたものを、時子は指差した。火浦もそれに気が付く。

「でかいな」

小高い場所に、巨大な屋根が見えた。

これまでに見たどの家よりも大きい。寺院のような、屋根に整然と瓦の並べられた、立派な建造物である。

「あそこに向かっているみたい」

木立の間の影が進む道は、あの建物に近付いているように見えた。

「何だろう、あれ」

いっそう足を速めるが、やはりなかなか距離は縮まらなかった。

長い森を抜ける。

そこには、優しい光に照らされた、予想を遥かに超えた巨大な建物が聳えていた。

周囲よりも高くなった丘の上に、平屋建ての、巨大な屋根がかすかに左右にカーブした、寝殿のような建物がある。

「お寺？」

「それらしくは見えるが――鳥居のようなものがある」

「じゃあ、神社なのかしら」

「鳥居の形が変だ」

森を出ると、石畳の幅が広くなった。参道のような立派な石畳が、まっすぐに建物の正面にある鳥居に続いている。暎子は、そこを走っていき、鳥居の下に差し掛かった。

次の瞬間、彼女は消えていた。

「あっ」

「消えた」

二人は声を上げ、石畳の上を駆けていった。

巨大な鳥居が、真正面に、二人を威嚇《いかく》するように立っている。

時子は、思わず足を止めてしまった。火浦もそれに気付き、立ち止まった。

「なあに、これ。気味が悪い」

時子は眉《まゆ》を顰《ひそ》め、鳥居を見上げた。

石畳の左右に、巨大な二本の柱が立っている。そして、その二本を繫《つな》ぐように、×印に交差された横木が組まれているのだった。普段見知っている鳥居とは形が違う。

柔らかな光に照らされて、柱は時子たちを拒むように超然とそそり立っていた。

「鳥居は、ここから先、神の場所だという印だからな」

「ここをくぐった時に、お母さんは消えたわ」

二人は鳥居の向こうに聳える建物を見た。石畳は、まっすぐその建物に続いている。

「あの建物も、変だ」

　火浦が呟いた。

「窓も、入口もない」

「本当だわ」

　時子は、鳥肌が立つのを感じた。

　真新しい、白木造りの建物だ。幾何学的に並んだ柱が巨大な天井を支えている。しかし、その柱の間にある真っ白な壁には、開口部が全くなかった。そもそも、石畳の先に、入口と呼べるような場所がない。壁の真ん中に四角い穴が一箇所空いているだけで、扉のようなものは見えない。

「嫌だわ。なんだか、怖い」

　時子は、思わず肌寒さを感じ、腕をさすっていた。

「入口を探そう。周りを歩いてみる」

「あたしも行くわ」

　なんとなく鳥居をくぐるのを避けて、二人は石畳を降りた。よく見ると、鳥居の聳えている場所から点線が延びるように、礎石のような石がぐるりと建物を囲んでいる。その石に沿って、歩いていく。

　建物を一周するだけで、かなりの時間が掛かった。相当な大きさの建物である。

だが、歩けど歩けど、入口らしきものは見えてこなかった。整然と並ぶ柱の間の白壁には、やはり窓がない。

「どこから入るのかしら」

「とにかく一周してみよう」

建物は、奇妙な静寂に包まれていた。むろん、壁も厚いのだろうが、中に誰かがいるところなど想像できなかった。なぜか、中は真っ暗なような気がした。

とうとう一周したが、どこにも入口はなかった。全く開口部がない。

正面の、あの四角い穴を除いて。

再び正面に戻ってきた二人は、その穴をじっと見つめた。中は真っ暗で、光は漏れていない。近くまでいけば、人一人くらいは通れる大きさの穴なのかもしれないが、なぜか二人は鳥居の前でぐずぐずしていた。消えてしまった暎子のことが念頭にあったせいだ。ひょっとして、自分たちも消えてしまうのではないか？

火浦が、そっと手を上げて、鳥居の下をくぐらせた。

時子は息を呑《の》んで、そのさまを見守る。

何も起こらない。

火浦はじっと自分の手を見つめ、鳥居を見上げていたが、そっと歩いて鳥居の下をくぐった。

何も起こらない。

彼は、鳥居の向こうに立っていた。暫く辺りの様子を窺っていたが、すたすたと四角い穴に向かって歩いていく。時子は安堵《あんど》した。

あたしも大丈夫なのかしら？　彼は「洗濯屋」だから平気なのかもしれない。

時子は、火浦がしたように恐る恐る手を上げてみた。

何も感じない。

それが錯覚のように思えて、暫くじっとしていたが、腕が疲れてきたような気がしただけで、なんともなかった。

それでも、おっかなびっくりで鳥居の下をくぐる。そこでいったん立ち止まり、様子を窺った。やはり、なんともない。

時子は胸を撫で下ろして、穴を覗き込んでいる火浦のところに近付いた。

「何か見える？」

「いや。真っ暗で、何も見えない。ガラスが嵌《は》まってるし」

穴は五十センチ四方というところか。確かに、嵌め殺しのガラスがぴったりと収まっていた。中は暗く、何も見えない。

「お母さんは、どこに消えたのかしら。この中に入ったとしか思えなかったんだけど」

火浦は周囲に張り出した巨大な屋根を見上げた。

立派な梁《はり》が、力強く放物線を描いて、明るい空に突き出している。

火浦はそっと壁に触れた。

「いったい何のための建物なんだ。こんなものの話は聞いたことがない」

「あなたは、ここに来るのは初めてなの？」

「一度来たことがあるが、こんなに長時間滞在するのは初めてだ」

改めて、二人は建物の周りを壁に沿って歩き始めた。遠くから見ただけでは分からない入口がどこかにあるのではないかと思ったのである。

時々、壁を叩《たた》いたり、足元を蹴《け》ってみたりしたが、やはりどこにも入口は見つからなかった。

「中に誰かいるのかしら」

「何も音はしない」

もう一度、あの四角いガラス窓のところに戻り、中を覗こうとしたり、耳を当ててみたりするが、全く何の音もせず、建物は不気味な沈黙を守っていた。

「さて。どうしよう」

火浦は、ガラス窓の前で腕組みをして考えこむ。

「お父さんを捜す？」

「いや。この中に入りたい。これまで見た場所が無人なわけは、ここにあるような気がする。あんたのお母さんも、『包まれて』この世界にいた。俺の顔を見て、ここに逃げ込んだ。みんなきっとここにいるんだ」

「どうやって入るの？」

火浦が、無表情な目で時子を見た。

「あんたならここに入れるはずだ。一応、不完全ではあるがあんたも『包まれて』るんだからな」

「あたしが？」

時子は愕然《がくぜん》とした。

「あんたが入れれば、俺もそれについていける」

「でも、あたしには何も起きなかった。あの鳥居をくぐっても、今こうして外にいるわ」

「そうなんだ。なぜあんたには何も起きないんだろう。俺が近くにいるせいか？」

火浦は腕組みをしたままぐるぐるとその場を歩き回り始めた。

「何かあるはずだ。何かきっかけが」

この中に入る。

時子は、気味悪そうに建物を見上げた。

確かに、中がどうなっているのか、何があるのか、母がここにいるのかどうかを知りたいのだが、その一方で、ここに入るのは嫌な感じがした。

窓も入口もない建物。そう考えただけで、息苦しさを覚えた。

二人で暫く建物の周りをうろうろしていたが、何も考えは浮かばない。

ふと、時子は空が暗くなってきたような気がした。

「なんだか、暗くなってない？」

「いや、ここはずっとこんな天気のはずだが」

火浦はそう言い掛けて空を見上げ、目を見開いた。

「本当だ」

空に、雲が湧《わ》いていた。

どす黒い、墨のような雲が、森の向こうから、徐々に広がり始めている。みるみるうちに、雲は渦を巻きながら不穏に空を覆っていく。

同時に、風が吹き出していた。生暖かく湿った風が、少しずつ力を増している。

「雨が降る――ここに、雨が降るなんて」

火浦は信じられない、という表情で空を見上げていた。

時子は、鈴の音のようなものが聞こえることに気付いた。

「あれ、何の音かしら？」

「うん？」

「誰かいるわ」

森の中の道を、誰かが駆けている。カラカラカラ、という涼しげな音はそこから聞こえてくる。

「誰だろう」

二人は、音のするほうに向かって駆け出した。暎子以外の人間を目にするのは初めてだったし、少しでも情報が欲しい。

薄暗い森の中に飛び込む。耳を澄まし、さっき聞いた音を探す。

「子供だ」

火浦が呟いた。

離れたところを、さっぱりと剃《そ》り上げた坊主頭が横切っていく。

「何か手に持ってる」

ゴロゴロゴロ、と遠雷が響き始めた。地面を伝い、震動が伝わってくる。

二人は再び不安そうに空を見上げた。

「雷だ。まだ遠い」

遠くで、雲に亀裂が入るのが見えた。稲光が、何本も走っている。

「どこか家の中に入らないと」

そう時子が呟いた時、森の中から少年が飛び出してきた。

どうやら、雷が怖くて逃げてきたらしい。後ろを何度も振り返り、しきりに空を見上げている。その目には恐怖が浮かんでいた。

その目を見たとたん、時子はぎくっとして凍りついた。

いや、彼女が凍りついたのは、少年が手にしているもののせいだった。

銀色の輪。少年は、輪回しをしながら、石畳の上を駆けてきたのだ。

少年は必死に逃げている。こちらに向かって駆けてくる。彼を追ってくるかのように見える、遠い雷雲から逃れようとして。涼しげな音を立てる、銀色の輪を回しながら。

輪。銀色の輪。

彼女の中で、何かが裂けた。

歳月を超えて、何かが怒濤《どとう》のように押し寄せてくる。

ボウリングのピン。ボウリング場の音。トラックから流れ落ちる大量の空き缶。町外れの工場。空き缶をトラックから降ろす時のあの音。ボウリング場のような、あのけたたましい――時子は頰を両手で押さえ、震え出した。

銀色の輪。ケーキを手に持って、入っていく時子。何も知らずに、工場の中に、たった一人で。

「おい、どうした」

火浦が彼女の異変に気付き、声を掛けた時には、時子も駆け出していた。

逃げなくては。「あれ」から逃げるのだ。彼女を追ってくる、恐ろしいものから逃げ出すのだ。あそこに逃げ込めばいい。あの鳥居をくぐって、あの中へ。

「待てよ！」

火浦の慌てた声がする。しかし、時子は恐怖に突き動かされ、走り続けていた。

逃げなくちゃ。あそこに逃げ込むのよ。

空は真っ暗になっていた。墨絵のように、ゴッホの絵の空のように、大きな渦がいくつも瓦屋根の上にも押し寄せてきている。風も強まった。時子をその場に繋ぎとめようとするかのように、強い風が横殴りに吹き付けてくる。

鳥居が目の前に迫ってきた。

大きな×印の鳥居。あそこから先は神の領域。

あそこに逃げ込めば助かる。彼女はその瞬間、なぜかそう信じていた。

火浦の手が後ろから時子の腕をつかみ、二人が鳥居をくぐり抜けようとしたその瞬間。

ほんの短い一瞬。

二人はそこから消えていた。


「なるほど、恐怖が引き金なんだな」

火浦の声を聞いて、時子は我に返った。

「ここは」

「あの建物の内側だ」

時子は恐る恐る周囲を見回した。

確かに、そこはついさっきまで入口を探していたあの建物の内部らしかった。

二人は、ガラスが嵌め殺しになったあの窓のそばに立っていた。内側から見ると、窓の外は明るかった。

目が慣れるまで時間が掛かった。

中は薄暗く、天井が高い。見渡す限りの土間に、ずらりと太い柱が並んでいる。

あまりにも広く、薄暗いので、奥のほうは見えない。ただひたすらに柱が並んでいるだけで、他には全く何もなかった。

「誰もいない」

「何もないわ」

二人は低く呟いた。その声には落胆の響きが込められている。

「思い出したんだな、あんたのきっかけを」

火浦が時子の顔を見た。

「ええ」

時子は目を逸らし、頷いた。

「俺も見た。あんたが思い出した瞬間に、見えた。あの輪回しをしていた男の子を見て、連想したんだろう」

時子は俯いたままだった。

あの日――町外れの工場の中の、小さな家に彼女は入っていった。そこには以前一度来たことがあったので、躊躇しなかったのだ。そこは、いろいろな人がいつも出入りしていたはずだった。

観音開きになったドアの向こうに、彼女は何の気なしに足を踏み入れた。

そこには、同級生の男の子の一家が住んでいるはずだった。

小柄でひょろりとした男の子。いつも微笑《ほほえ》んでいた男の子。おとなしかったが、とても優しい子で、時子は彼が好きだった。

彼の家庭は彼が小さい頃に母親が病死しており、長いこと父子家庭だった。

新しいお母さんが来たんだ、と嬉《うれ》しそうに呟いていた彼の表情を思い浮かべながら、あの日、彼女はその家に向かった。

その笑顔を見てから随分経っていた。先生は、彼が重い病気に掛かっており、暫く学校には来られません、と説明していた。

その日は彼の誕生日だった。時子は、お見舞いとお祝いを兼ねたケーキを持って、以前来たことのある彼の家を訪ねたのだった。

それが目に飛び込んできた時、彼女は自分が見ているのが何なのかよく分からなかった。

台所の脇《わき》の戸が開いていた。

明かりが点《つ》いていたが、そこは暗かった。勝手口の外に、何かがいた。

時子は目を凝らし、そちらに数歩進んだ。

犬？

鎖がかちゃ、と鳴った。鎖は、外の柱に結わえつけられていて、その先に、小さな生き物が繫がれていた。

その生き物が、動いた。

犬にしては、なんだか様子が変だ。時子は、背伸びをして、その生き物を覗き込んだ。

目が合ったような気がした。

が、次の瞬間、彼女は逃げ出していた。

自分と目が合ったものの正体に気付いたのか、気付いていなかったのか。とにかく、真っ白な恐怖に突き動かされて、彼女は駆け出していた。

走って、走って、そこから逃げ出した。

頭の中では、自分が見たものがぐるぐると回っていた。

あれは、確かにあの少年だった。優しくて、おとなしかった、あの子。新しいお母さんが来たんだ、と笑っていたあの子。

錆《さ》びた鉄の首輪を嵌められ、鎖に繋がれて、すっかり目が落《お》ち窪《くぼ》み、肌は青黒くなり、髪は抜け、骨と皮ばかりの姿になってはいたが、あれは確かにあの子だった。

彼の前に、小さな皿が置かれていて、そこには何か黒くなった食べ物が載っていた──蠅《はえ》のたかった、もう何だったのか分からない、食べ物らしきものの残骸《ざんがい》が。

かちゃかちゃと鎖の音が頭の中で響く。遠くで、空き缶を捨てるパーンという音が響く。

逃げるんだ、あれはきっと犬だったんだ、死にかけた犬、決して人間なんかではない、ましてやあの優しかった、彼女が好きだった少年なんかであるはずがない、逃げるんだ、ここから逃げ出すんだ。

鎖の音。首輪を繋ぐ鎖の錆びた音。空き缶を捨てる、ガラガラ、パーンという響き。

あの日、あたしは逃げた。自分が見たものから、自分が見てしまったものから。

時子はぎゅっと目をつむった。

「あたしは逃げた。彼を助けずに、その場から逃げ出した」

火浦はじっと聞いている。

「あのあと、彼の一家はどこかに引っ越していった。彼がどこか大きな病院に転院するからだと先生は言っていたけれど、もしかして、あの日あたしがあそこに行ったのを、家の人が気付いていたのかも。誰かに彼を見られたと思って、逃げたんだわ。そのあと、彼がどうなったのか知らない。きっと、あのあとすぐに亡くなったんじゃないかと思う。あたしは、逃げて、忘れた。自分が見たものを忘れようと努力した。ケーキは、彼の家は留守だったと言って、家に持ち帰って、みんなで食べた。あたしはろくに食べられずに残した。大好物なのに、具合が悪いんじゃないかとお母さんが心配したわ」

時子は自分の手を見下ろした。

「あたしは、彼を見殺しにした」

「あんたが殺したわけじゃない。殺したのは、彼の親だろう」

火浦は淡々と言った。

「逃げて、忘れたのよ」

「だけど、それは残っていた。あんたはボウリングのピンを見るようになった」

「あんな形で残っていたなんて」

「俺はあんたを断罪する気もないし、その資格もない。さあ、あんたの両親を捜そう」

火浦は無表情にそう言うと、先に立って歩き出した。

「あの子はどうしたのかしら」

時子はのろのろと呟いた。

「もうよせ。あんたにはどうしようもなかったことだ」

「ううん、さっきのあの子。輪回しをしていた子。可哀相《かわいそう》に、雷が怖かったんだわ」

時子は首を振り、窓を振り返った。

「ああ、そういえばそうだな。もしかして一緒にここに入ったんじゃないかと思ってたんだが」

火浦も周囲を見回す。

二人の声は、高い天井に吸い取られていくようだった。

用心深く歩き出すが、人の気配はない。とりあえず、壁に沿って歩くことにした。自分のいる位置を確認しやすくするためである。

「なんて広いの」

歩いても歩いても切れ目のない壁が怖くなり、時子は呟いた。

「外から見たより、遥かに広いな。あの建物は、あくまでも見た目だけなのかも。この世界のものさしは、恐らく俺たちの知っているものと違うんだろう」

「誰もいないわ」

「変だな。ここだと思ったんだが」

さすがに火浦も気味悪くなったのか、奥に続く柱を見回した。どんなに歩いても、壁と柱ばかり。しかも、あまりにも広くて、遠くが暗く見渡せない。

「いったいどうなっているんだ。ここでも、俺たちの予測できないことが起きているのか」

火浦は苛立《いらだ》った表情で呟き、近くの柱をコツコツと叩いた。

「そもそも、なんでこんなに沢山柱があるんだろう。建物の強度からいって、いくらなんでもこんなに沢山の柱は必要ないだろうに」

「なんだか檻《おり》みたい。それか、大木ばかりの森の中にいるみたいだわ」

時子は柱を見上げた。天井があまりにも遠いところにあるので、眩暈《めまい》がするほどだ。

その時、音が聞こえてきた。

カラカラカラという、涼しげな音。聞き覚えのある、あの音だ。

「さっきの子だわ」

時子は振り向いた。

「やっぱり、一緒に入ったんだな」

二人で耳を澄ます。音は少しずつ近付いてきた。

「なんだかおかしい」

火浦が表情を強張《こわば》らせた。

音は、一つではなかった。四方八方から、重なり合うようにして、鈴の音に似た音が押し寄せてくる。

突然、沢山の子供の姿が視界に現れた。柱の隙間から、輪回しをしている数十人の少年が、こちらに向かって駆けてくる。

声がした。広い空間に、わあんと響きあって、何と言っているのか分からないが、子供の声であることは確かだ。

ときこちゃーん……ときこちゃーん……ときこちゃ……

時子の身体を、痛いような恐怖が突き抜けた。こだましあう声が、天井に壁に反射して時子にぶつかってくる。

少しずつ近付いてくる少年たちの姿を見て、時子は今度こそ凄まじい悲鳴を上げた。

まるで骸骨が走ってくるのかと思えるほど、痩《や》せさらばえた少年たち。目は落ち窪み、髪は抜け、今にも折れてしまいそうな身体で駆けてくる。

それはあの子だった。

時子が見捨てたあの子が大勢、彼女に向かって駆けてくる。よく見ると、彼らが回しているのは、錆びた首輪だった。鎖で繋がれていたあの首輪を回しながら、彼らは時子に向かってくる。

「これは」

火浦が絶句した。

時子は悲鳴を上げ続けた。彼らから逃れようと壁を叩き、体当たりする。

「落ち着け、これは違う。あんたが作り出しているんだ。ただの幻影だ」

火浦が叫ぶが、時子は金切り声を上げ、壁に体当たりを繰り返す。すっかり錯乱状態に陥ってしまっているのだ。

時子を呼ぶ声と、時子の悲鳴がぶつかりあって、建物全体に反響している。

「くそっ」

火浦が、少年たちに向かって掌《てのひら》を突き出した。

とたんに、一番近くまで来ていた少年がボッと発火して燃え上がり、揺らめいて小さな火の欠片《かけら》になり、燃え落ちる。

「消えろ！」

火浦は次々に掌を向けた。彼の指先から何かが放射されているかのよう。少年たちは、何かがぶつかったようによろめき、燃え上がり、踊るような格好で燃え尽きて消えていく。

「見ろ、実体はない。あんたが勝手に作り出しているんだ！」

火浦は時子に向かって叫んだ。

明るい炎が次々と膨らんでは消えていく。

時子は、頭を抱えて地面に丸まっていた。

少年たちはあっというまに火浦に焼き尽くされ、最後の炎の欠片が地面に崩れ落ちた。

火浦はふう、と溜息《ためいき》をつき、ぐるりと辺りを見回す。

「なんだこれは」

柱が揺れている。いや、震えている。

全ての柱が、共鳴しているかのように、小さく震えていた。

音にならない音が、空間を満たしていた。だが、空気が震えていることは確かだ。

時子が弛緩した顔を上げ、震えている柱の群れをぼんやりと見た。

地面は揺れていない。あくまでも、揺れているのは柱だけだ。ハープの弦を弾いたかのように、視界にある柱が全部揺れている。

「この柱は」

火浦は呟いた。

「生きている」

時子はのろのろと立ち上がり、そっと柱に手を伸ばした。

「ひょっとして、これは」

火浦はそう言い掛けた瞬間、時子が柱に触れようとしていることに気付いた。

「触るな！」

そう叫んで彼女に飛びつこうとしたが、もう遅かった。

ずるり、と時子は柱の中に入っていった。

柱の中から、誰かが引きずり込んだように見えた。

「時子！」

火浦は手を伸ばし、時子の手をつかもうとしたが、たちまち彼女の手も柱の中に見えなくなった。

「時子！　戻れ！　戻ってこい！」

火浦は柱を叩き、何度も叫んだ。

「戻れ！」

大声で叫ぶが、返事はない。

「畜生！」

火浦は拳骨《げんこつ》で柱を叩きつけ、荒い息を吐いた。

ふと周りを見ると、震動は止《や》んでいた。

何も聞こえない。さっきと同じ、ひっそりとした空間が広がっていて、彼一人だけが柱の脇に佇んでいる。

「こういうことだったのか」

火浦は、立ち並ぶ柱を見上げた。

彼らは皆、この柱の中にいるのだ。


鳥居をくぐりぬけたと思った瞬間、暎子は建物の中にいた。

まだ建物までは、かなりの距離があったはずなのに。

暎子は、呆然《ぼうぜん》として周囲を見回す。

身体を突き動かす恐怖に駆け出してしまい、ここまでやってきてしまった。さっき、「お母さん」と呼ばれ、そちらを見た時に見たあの顔。

黒い、背の高い、不吉な男。なぜあの男の顔にあんなに怯《おび》えてしまったのだろう。あの男をどこで見たのだろう。

ようやく落ち着いて、僅かな思考能力が蘇ってくる。

ここにいれば安心だ。この中にさえいれば、もう大丈夫。

そんな安堵感で、気持ちが満たされた。ぶらぶらと、柱の間を歩き出す。

広いところだ。どこまでも柱が並んでいる。こんな建物を、どこかでも見た。

なんだ、もっと早くここに来ればよかった。あの子はなぜここに来ることを嫌がったのかしら。こんなに安全な、いいところなのに。

暎子は欠伸《あくび》をした。安心したとたん、眠気が襲ってくる。

どこか横になれるところはないかしら。土間が続いているだけで、何もない。困るわ、どこかに座敷が見つからないと、横になれない。

暎子はきょろきょろしながら、奥へ奥へと進んでいった。

広い。ここはとても広い。

みんなはどこにいるのかしら。

再び、時間の感覚が消えた。鏡の中にいるような、柱だけの世界。後ろを振り返っても、前を見ても、左右を見ても、見渡す限り柱だけがどこまでも続いている。

なんだか、永遠にここを彷徨《さまよ》っているような気がした。

誰か。誰かいないの。

暎子は物悲しい気分になり、不安そうに辺りを見回した。

全く音がなく、ひたすら静寂が彼女の足音を飲み込んでいく。どこまでも同じ景色が続くのならば、歩いていて何の意味があるだろう。

虚《むな》しさが込み上げてくる。

ふと、前方に何かが見えた。

誰か、いる。

そこだけぽっかりと空間が空いていた。誰かが座っている。

それは、奇妙な眺めだった。土間の上に四畳半くらいの畳が敷いてあって、その上に炬燵《こたつ》が載っている。そして、その炬燵に割烹着《かっぽうぎ》を着た老女があたっていた。

　あら、炬燵だわ。

　暎子はそれをさして不思議にも感じず、まっすぐにその炬燵に近付いていった。

　老女は、座布団の上に正座をして、お茶を啜《すす》っていた。彼女がお茶を啜る低い音が聞こえてくる。

「ご一緒してよろしいですか？」

　暎子は丁寧に声を掛けた。

「どうぞどうぞ、暎子ちゃん」

　老女は彼女が来ることを知っていたかのように、手招きをした。

「じゃあ、あたらせていただきます」

　暎子は靴を脱いで畳に上がり、老女の隣に入った。

　電源がどこにあるのか分からないが、炬燵の中はオレンジ色に点り、暖かかった。

「ああ、あったかいわ」

　暎子は満足げに頷《うなず》いた。

「久しぶりだねえ、暎子ちゃん」

　老女はしみじみと呟いた。

「あら、あたしをご存知なんですか」

「何言ってるの、ご近所じゃないの。あたしは、うちの息子にあんたみたいな子が嫁に来てくれないかと思ってたんだよ」

老女はあきれたようにひらひらと手を振った。そういえば、この顔、見覚えがある。何度も見ている顔だ。

「あら、そうでしたっけ」

「息子が交通事故で逝っちまって、その夢は果たせなかったけどね」

「ああ、そうでしたわね」

暎子は大きく頷いた。そうか、子供の頃、近所に住んでいた、あの八百屋のおばあさんだ。

「大変でしたね、おばさんも。まさかあんなことになってしまうなんて」

「ああ、残念だよ」

二人で、先立たれた孝行息子の思い出を語り合う。

「あたし、おばさんをきっかけに、おかしなものを見るようになったんです」

暎子はしみじみと呟いた。

「おばさんの顔に、あるものを見たのがあたしのきっかけだったんです」

「これかね？」

がさ、という音がした。

瑛子は老女の顔を見てぎくりとする。

頭にかぶった手拭《てぬぐ》いの下から、草が伸びていた。目や鼻や口からも、にょろにょろしたツタのようなものが這《は》い出している。

「ひっ」

瑛子は思わず腰を浮かせ、慌てて炬燵から離れた。

炬燵がゴトゴトと揺れた。

炬燵の中からも、太い植物の茎が布団を押し上げて外に溢れてきた。棘《とげ》のある、緑色の茨《いばら》のようなものが、畳の上を這い、瑛子のほうに伸びてくる。

瑛子は後退《あとじさ》りをした。みるみるうちに、茨は伸びて勢力範囲を広げていく。

老女は、すっかりツタに覆われてしまっていた。が、まだ声が聞こえてくる。

「あんたは勘違いをしているんだよ、瑛子ちゃん」

声はくぐもっていた。口から植物が伸びてくるので、口の中が塞《ふさ》がってしまっているのだ。舌を動かすのも難しそうだった。

「あんたがこれを見るようになったのは、あたしのせいじゃない」

「え？」

じりじりと逃げ出しながらも、瑛子は叫んでいた。

「あんたは根本的な勘違いをしている」

炬燵に座っている、緑色の塊《かたまり》が喋った。

「勘違い？　何を勘違いしているというの」

暎子は叫んだ。

「あんたは、勝手に、あたしのせいであんたがこれを見るようになったと思い込んでいただけなのさ」

「勝手に？　あたしが？」

暎子は訝《いぶか》しげな表情になった。

「そう。あんたは自分にそう言い聞かせた。あたしのせいだと。これがきっかけなんだと」

「なんでそんなことをしなければならないの？　きっかけなんて、望んでなかった。できれば、なんのきっかけもなく、こんなものを見ることなく、平凡に生きてきたかったわ」

くぐもった笑い声が響く。

「そうかね。もう一度よく自分に聞いてごらん。なぜあんたが自分にそう言い聞かせなければならなかったのかってね」

声は、いよいよ聞き取りにくくなった。身体の中が、完全に植物に支配されてしまったのだろう。

暎子は駆け出していた。

ずるり、ずるり、と茨が畳からはみ出して土間の上に伸びてくる気配がする。

逃げなくては。恐ろしいものから。

逃げるんだ。「あれ」から、逃げ出さなくては！

ごつ、と爪先《つまさき》が何かにぶつかった。

ざわざわという声が聞こえてくる。

暎子は顔を上げた。

そこは、教室だった。目の前に、教卓があり、マイクがある。

彼女は、階段状の大教室の、学生たちの前に立っているのだった。

学生たちは、立っている暎子に気付いていないようだった。相変わらず隣の席のクラスメートとお喋りを続けている。

暎子はぼんやりと学生たちを見回した。

こんなによく見渡せるのね、壇上って。内職してる学生も、居眠りしている学生も一目で分かるわ。

今更ながらに、学生時代の愚行を思い出し、恥ずかしくなる。

ふと、上のほうに座っている女子学生と目が合った。

かつての暎子。聡明で、若くて美しい女子学生。

彼女は暎子が見ているのに気付き、何かを思い出しかけたような目になった。

間違っている。


白い閃光《せんこう》が走り、地響きが起こった。

壁に亀裂が入り、天井が割れ、がらがらと教室が崩れ落ちてきた。

暎子は悲鳴を上げ、そこから逃げ出した。

どくどくと心臓が鳴っている。おかしい。何かがおかしい。このイメージは、どこかが間違っている。なぜ間違っていると思うのだろう。何がおかしいのだろう。

あんたは勘違いしているんだよ。根本的な勘違いを。

おばあさんのくぐもった声が繰り返される。

勘違い。根本的な勘違い。

不安は募り、恐怖で頭の中が真っ白になる。

思い出してはいけない。これを思い出したらあたしはきっと――

気が付くと、彼女は柱の間を走っていた。

薄暗い、柱の森。どこまでも続く柱の森の間を、彼女は必死に駆けていた。

しかし、先ほどと違うのは、柱が揺れていることだった。

空気が震動している。柱が、弦のように揺れている。共鳴しあっている。うわあんという、超音波のような波動があちこちに跳ね返り、暎子の身体にも響いてくる。揺れている。何かが、あたしの中で共鳴している。柱と身体の中の波動が響きあい、大きくあたしを揺さぶっている。

不安でたまらない。波動が、あたしの不安を増幅する。どんどん恐怖は大きくなる。身体を飛び出し、不安が柱を伝わり、空気を揺り動かす。

助けて！　この恐怖からあたしを逃れさせて！

暎子は悲鳴をあげ、よろけた。

手が柱に触れ、びりびりと震えた。

次の瞬間、彼女は柱の中に吸い込まれていた。


再び、静寂の中にいた。

暎子は、自分が廊下の隅に座り込んでいたのに気付いた。長い時間が経過したような気がする。どのくらい、ここで気を失っていたのだろう。

暎子はのろのろと立ち上がった。

ずっとこんなことを繰り返していたような。気を失い、どこかで目覚め、歩き出し、またどこかで気を失い、また目覚め、歩き出し——

　ぐるぐると時間が循環しているような錯覚を感じ、暎子はよろめいた。

　彼女が今度目覚めたのは、小学校の廊下のようだった。

　古い木造校舎。きちんと掃除された、こざっぱりとした廊下。

　立ち上がり、廊下の窓から外を見る。

　そこには、美しい風景が広がっていた。どうやら、山の中らしい。ポプラの木立や、青々とした山の稜線《りょうせん》が広がっていて、みずみずしい気分になる。

　暎子は、ゆっくりと廊下を歩いていった。

　小学校だと思ったが、どうやら違うらしい。病院のようにも見えるが、その割には内装がかなり家庭的だ。だが、どの部屋にもベッドが並んでいる。

　何だろう？　寮かペンションか何かかしら。

　どこかが開いているのか、一陣の風が廊下を吹きぬけていった。

　何かが気にかかり、暎子はくるりと後ろを振り返った。

　なぜだろう。この先に、何かある。

　暎子は廊下を歩き始めた。

　どこからか風が吹いている。窓か何かが開いているのだろう。

　気配を感じた。大勢の人がいる気配。

暎子は足を速めた。

声がする。懐かしい声。誰かが講義をしているような声だ。

胸がどきどきしてくる。この声。まさか。ひょっとして。

声は近付いてきた。人の気配も。

廊下の奥に、その部屋がある。

間違いない。誰かが教室で講義している。

そっと、廊下の窓から中を覗き込む。

そこは、紛れもなく、小学校のような教室だった。

大きな教室に、沢山の人がいた。年齢はさまざまで、老若男女、いろいろである。椅《い》子《す》が無造作に並んでいて、みんながそれに腰掛けて教師の話を聞いていた。

七十歳くらいの老人もいれば、まだ小学生くらいの子供もいる。皆、椅子で思い思いのポーズを取りながらも、熱心に話を聞いている。

暎子は恐る恐る、黒板のほうに目をやった。

背の高い、眼鏡《めがね》を掛けた男が、壇上で話をしている。

ずきん、と胸が痛んだ。

そこに懐かしい顔があった。ずっと捜し求め、恋い焦がれ、恨み続けてきた、たった一人の男の顔が。

男は、淡々と講義を続けていた。時折、身振り手振りを交えながら、手馴《てな》れた様子で話をしている。

ああ、まさかこんな。こんなところで、あの人に再会できるなんて。

暎子は自分が震えているのに気付いた。止めようとしても、震えは止まらない。

どうすればいいのだろう。何と声を掛けよう。講義が終わるまで待っていたほうがいいのかしら。いいや、とてもそんな長い時間待てそうにない。

彼女は、自分を宥《なだ》めるように小さく深呼吸をし、腕をさすった。

あの人はあたしに気付かないのかしら、こんなに近くにいて、こうして窓から教室を覗き込んでいるというのに。

暎子は、半ば恨めしげに壇上の男を見た。

その時、廊下の奥から誰かが駆けてきた。暎子はその足音に気付き、振り返る。

「お母さん!」

一人の娘がこちらに向かって走ってくる。泣き出しそうな顔で、廊下を駆けてくる。

暎子は一瞬、眩暈がした。制服姿の少女が走ってくるところが、彼女の姿にだぶった。

これと同じことがずっと以前にあったような。

「お、お、お母さん！」

もう一度娘が叫び、目が合った瞬間、全てが蘇った。

これまでの出来事が、フィルムを逆回しにしたように、いっぺんに堰《せき》を切ってなだれ込んでくる。

社員旅行。地下鉄のホーム。ケーキを作る時子。コトノ薬局。上目遣いにこちらを見て
いる老女。灰色の風呂敷《ふろしき》。「包まれて」いたこと。柔らかな光。輪回しの少年。柱の森。

その、彼女の中に押し寄せてくる記憶のあまりの流れの激しさに、暎子は世界が反転
したような眩暈を覚えた。

ああ、あたしはこれまでずっと遠いところにいたのだ。

「お母さん！」

時子が腕に飛び込んでくる。

生々しい感触。彼女もまた、震えていた。二人で震えながら、その存在を確認しあう
ようにしっかりと抱き合う。

「お母さん、お母さん」

時子がワッと泣き出した。

「あんた、どうしてここに」

「火浦さんが──『包まれて』いるお父さんを捜しに行こうって──あたし、思い出し

ちゃったの、きっかけを。怖くて怖くて、逃げて、柱の中に」

必死に説明しようとしているが、泣き声とごっちゃになり、しどろもどろなので切れぎれにしか話せない。だが、娘が言おうとしていることはなんとなく分かった。

火浦。あの男。

突然、くっきりとあの男の姿が頭に浮かんだ。

やはり、時子に接近していたのだ。

あなたとご主人の子ですよ。それがどういうことか分かってるんですか。

禍々《まがまが》しい不安が蘇ってきた。

「お母さん、今、病院で眠ってるの。会社の人が、呼んでくれて、ちっとも目を覚まさなくて。自発呼吸はあるって。でも、不思議だってお医者さんが」

しゃくりあげながらも、時子が続けた。

暎子は素早く記憶を辿《たど》った。なるほど、あのクリーニング工場に行って、身体だけは旅館に戻ったんだ。でも、「包まれる」ことを拒絶した身体は、意識を失ったままになっていたわけだ。

「よく来てくれたわ」

暎子は溜息のように呟いた。時子は、更に声を上げて泣き出す。ずっと我慢していたのだろう。つられて、暎子も涙が込み上げてきた。

ガラリ、と音がした。

暎子は時子を抱きしめたまま顔を上げた。

教室の戸が開いていて、彼がそこに立って二人を見ていた。

長い沈黙の末、暎子はとうとう口を開いた。

「あなた」

「とうとうここまで来たんだね、暎子」

彼は奇妙な口調で言った。絶望しているような、何かをあきらめているかのような、不穏な響き。

「ええ。来たわ、あなた。長かった」

「お父さん？」

時子が顔を上げ、慌てて涙を拭った。

再び、沈黙が降りる。

「時子も。火浦君と一緒だったのか」

彼は、淡々と言った。時子は大きく頷く。

「そう。彼は、柱の中には入れないみたい。あたし一人が吸い込まれてしまって」

「だろうな。彼だけでは、ここに来ることは難しいだろう」

彼は教室の中をひょいと覗きこみ、廊下で起きていることをじっと見つめている中の人々に声を掛けた。

「すみません、暫く自習にします。いや、今日はこれで終わりにしましょう。解散です。では、また明日」

ガタガタと人々が椅子から立ち上がり、ぞろぞろと教室の後ろの戸を開けて廊下を歩いていく。暎子たちに静かに会釈していく人たちもいる。暎子と時子は、反射的に会釈を返していた。

「入りなさい」

空っぽになった教室に、彼は二人を促した。

がらんとした部屋の沢山の椅子のうち、三つに並んで腰掛ける。

時子はしげしげと教室を見回し、廊下や、窓の外の景色に真剣に見入っていた。

「ここ、なんだか、お母さんが今入っている病院に似てる。ちょっとしか見てないけど、外の景色とか、そのまんまだわ。いったいどうなってるの」

時子は低く呟いた。そして、静かに座っている男を見上げる。

「これは、どういうことなの？　お父さんは、ここで何をしているの？　あの人たちは、皆、『包まれて』いる人なの？　どうして戻ってこないの？　火浦さんは、お父さんは『裏返されて』なんかいないと言ったわ」

涙を流してすっきりしたのか、矢継ぎ早に質問を浴びせる。

もっとも、詰問したいのは暎子も同じだった。

あの穏やかな授業。彼は、昔とちっとも変わっていない。「裏返されて」いないのはもちろん、「包まれて」もいないのではないか。

疑問は膨れ上がり、今にも破裂しそうだった。しかし、なぜか暎子はそれを口にすることができなかった。胸の奥は、説明のつかない不安で揺れている。

やっと会えたはずなのに、なぜこんなにも不安なのだろう。

「僕は、戻ることを拒んでいるんだ。あえて、ここにいて、みんなとここで生活しているんだ」

ぽつぽつと話す声。その声は思慮深く、用心深かった。言葉を選んでいることが窺える。

この人は、何を隠しているのだろう。

不意に怒りが込み上げ、暎子はぶっきらぼうに言った。

「あなた、何を隠しているの？　ここまできて、まだ何か隠し事をしようというの？あたしたち、遠い遠い道を、遠回りしてここまできたのよ。何かを隠してきたのなら、今ここで全部話してちょうだい」

その声に込められた怒りに気付いたらしく、彼はそっと淋しそうに目を伏せた。

「そうだ——そうだな。僕は、二人を長い間放置し、苦しめてきてしまった。元はといえば、全ては僕のせいだったというのに」

「二人が同じ一族の者で、同じ力を持っていたから？」

時子が言った。

「いや」と、彼は口ごもる。

「本当は、いけなかったんでしょう？　一族以外の人と、一緒になるべきだったんでしょう？」

時子は畳み掛けるように、彼に詰め寄った。

「そうだ」

「でも、もうそれは仕方がないじゃない」

「そうだ」

時子の言葉に何度も頷きながらも、彼の表情には苦渋が滲《にじ》んでいた。

「あたしはもう、きっかけを摑んでしまったわ。もう、力が顕《あらわ》れてきてしまった。あたしの力が顕れるのを遅らせるために姿を消したのなら、もうその必要はないでしょう」

時子は更に言い募る。

「そうだ——そうだ」

彼は、そう答えるのも苦しそうだった。眼鏡を外し、目を押さえるその姿に浮かぶ苦悩に、暎子は胸が塞がれるような心地になった。

「何なの？」

暎子は、自分の声がカサカサとしわがれているのを聞いた。

「どうしてあたしたちの元に戻ってきてくれないの？　もう、あたしたちのことを愛していないの？」

自分の声が、震えているのを聞いた。

彼は、暫く目を覆ったまま、じっと黙り込んでいた。

窓ガラスがかたかたと鳴った。

暎子は窓を見た。風が吹いている。外の木立が揺れていた。

「――二人とも、ここまで来た。さまざまな代償を払って、ここまで」

独り言のような声が漏れた。

「もはや、僕も逃げられまい。これ以上、嘘《うそ》をついて君たちを欺き続けることは無理だろう。もう、限界なんだ」

声は、ボソボソと続く。

「欺く？」

暎子は怪訝《けげん》そうな表情で夫の顔を見た。

夫は、絶望に満ちた目で彼女を見た。

その目に、暎子はぎくりとする。

あんたは根本的な勘違いをしている。

老女の声が、頭の中にはっきりと響き、暎子はゾッとした。これから夫は、あたしが決して聞きたくない、思い出したくないと思っていることを口にする。

彼女は恐怖と共にそのことを確信した。動悸《どうき》が激しくなり、背中が冷たくなる。喉《のど》の奥がカラカラになり、息苦しくなる。

口を開かないで。あたしにそれを聞かせないで。

「――暎子」

夫は溜息のように言った。

「僕の名前は？」

「え？」

間の抜けた声が飛び出していた。冗談かと思って夫の顔を見るが、彼の目は真剣で、絶望を湛《たた》えた瞳《ひとみ》は変わらない。

「何を言っているの、あなた」

暎子は歪《ゆが》んだ笑い声を立てた。

「なぜそんな馬鹿げたことを聞くの」

しかし、夫はあきらめなかった。

「教えてくれ。僕の名前は？　君の夫であり、時子の父である、僕の名前は何というんだ？」

「冗談は止めてちょうだいよ」

暎子は笑って首を振る。

「言えないだろう？　僕の名前。君は僕の名前を知らないはずだ」

暎子は笑うのを止めた。

「何を言うのよ。あなたは、拝島――」

夫の名前。

暎子は考えた。必死に考え、思い出そうとする。しかし、名前は浮かんでこない。頭が混乱し、次第に恐怖が浮かんでくる。

そのさまを、時子がやはり恐怖に満ちた目でじっと見ていた。

「お母さん」

その唇がかすかに震えるのを、暎子は絶望的な気持ちで見つめていた。

「君は、常野一族じゃない」

名前を思い出せない男は、暎子をじっと見つめたままそう言った。

「君は私の教え子だった」

教室の喧騒。

暎子はざわざわという学生の声が、自分を潮騒《しおさい》のように包むのを感じた。

階段状の大教室。数百人の学生が、思い思いに席を埋めている。

上のほうで、女子学生が顔をあげる。

聡明で美しい、若き日の暎子。

「どういうこと？」

時子が低く呟き、目の前の二人の顔を交互に見た。

「君は私の教え子だった」

男は繰り返した。暎子の夫であり、時子の父であるはずの男が。

「君はあの教室にいた。僕は、強かった――教室の中にいる、複数の『あれ』をいっぺんに『裏返せる』くらいに。その存在に、気付いた瞬間、『裏返せて』しまうくらいに」

どこかで男の声が響く。

ざわざわという喧騒。

隣の学生と笑い合う暎子。その笑顔は、無邪気で美しい。何の心配も、不安もない。

苦しそうな声が続く。

「そう、僕は君を『裏返した』。大教室の中に混じっていた『あれ』を、いっぺんに『裏返した』。君は常野一族じゃない。君は、僕が『裏返した』『あれ』の一人だったんだ」

第五章　十二月二十二日　月曜日

火浦は暗闇《くらやみ》の中で顔を上げた。

空気が震えている。

再び、柱の群れが揺れ始めたのだ。

火浦は天井を見上げ、揺れる柱を感じていた。

何が起きているんだ？

うぉーん、と音にならない震動が闇を満たし、火浦の身体《からだ》に乱反射する。まるで、柱は生きているかのように身を震わせ、そこここで揺れている。共鳴はしているが、柱によって震え方は微妙に異なっていた。

火浦はその光景を注意深く観察した。

一つの柱に一人ずつ入っているのか？　それとも、ここは単なる入口なのか。

火浦は共鳴する柱の間を影のように歩き回っていた。凄《すご》い震動だ。このような不純物のない異空間で、一族の精神波が打ち寄せてくるのは、ゼリーの波が寄せてくる海で泳いでいるかのような圧迫感と重圧がある。

時子が姿を消してから、小一時間も経過しただろうか。

火浦は、この柱の中に入る方法がないかずっと考えていた。理屈からいえば彼は入れないはずなのだが、時子に手を借りる形でここまでやってきたのだから、何か方法があるのではないかと思ったのだ。

しかし、彼が柱に触れようと叩《たた》こうと何も起こらないし、彼の前ではただの木の柱のままだ。

暫《しばら》くすると柱の震動は収まり始めた。が、代わって何か別の音が聞こえてくる。

聞き覚えのある、あの音——雨だ。火浦はぎょっとした。

嵌《は》め殺しの窓に駆け寄り、外を見る。かなりの強い雨が降っていて、地面のそこここに小さな川が出来始めていた。あの不気味な鳥居が、暗い空にシルエットとなって聳《そび》えている。

火浦は無表情に色彩の消えた景色を見つめた。

先程までの、長閑《のどか》な世界は消え去っていた。むしろ、あの偽りの楽園めいた白々しさが掻《か》き消えて、現実を剝《む》き出しにしてしまったように感じる。

火浦はガラスに拳《こぶし》を押し付けてじっとしていた。

雨は非情だ。厚化粧も、虚飾も殺《そ》ぎ落とす。

奇妙な心地だった。焦りと緊迫感はあるものの、なぜかひどく落ち着いている。もう、この世界は終盤にさしかかっているのだから。俺《おれ》はそれを見届けるためにここにいるに過ぎないのだ。

雨の音。ボウリングの音。工場で、空き缶がトラックから流れ出す音。

消しゴムを使う子供。

火浦はハッとした。

消しゴムを使う子供。

一瞬、硫黄の臭《にお》いを嗅《か》いだような気がした。火浦は頭を振った。

どうかしている。自分のことをイメージすることなどめったにない。

ふと、何かが引っ掛かったような気がした。自分のこと。自分のイメージ。消しゴムを使う子供――鎖に繋《つな》がれた子供。

バチッ、と頭の中で火花が散ったような感触があった。

なぜか反射的に後ろを振り返る。誰かがそこに立っているような気がしたのだ。

が、そこにはほの白く浮かぶ柱の影があるだけ。

時子と一緒に見た、彼女のきっかけのイメージが蘇《よみがえ》ってくる。町外れの工場の裏に繋がれていたのは、本当に少年だったのか。それとも彼女の見間違いだったのか。

時子の恐怖が、その瞬間が蘇る。引きずられることなどめったにない。彼女は俺を弾《はじ》き出した。この俺を。**消しゴムを使う子供だった俺を。**

やめて、やめてちょうだい。いけないわ。それをこっちに寄越すのよ。

恐怖に見開かれた目がこちらを見ている。大きな目。薄い茶色の、必死な目が俺を。

それを使ってはいけないわ。お願いよ、それを渡して。

紺色のジャケットを着た女が手を差し出している。顔は真っ青だが、こめかみのところがほんのり赤く染まっていた。

彼女の後ろには、びっくりするほど多くの人間がいた。子供がいっぱい。その後ろには大人がいっぱい。なぜだか、制服を着た男たちも混ざっている。彼らの手には何かが握られている。

彼はぼんやりとみんなを見ている。彼は一人だった。一人で落書きをしていただけなのだ。地面にチョークで絵を描いたり、指で砂に模様を描いたり、模造紙に宇宙船や怪獣の絵を描いたりしているだけなのだ。いつもおとなしく遊んでいるのに、なぜかいつも大人たちが飛んでくる。

彼にはそれが不満だった。彼は何も望まない。友達や、抱きしめてくれる手も望まない。一人で静かに絵を描いていることだけが望みなのだ。新しいスケッチブックも、ノートも必要ない——なぜなら、彼はよく消える消しゴムを持っていたから。クレヨンも、マジックも消してしまえる、彼だけの消しゴムをもっていたからだ。

さあ、それをこっちに渡して。ね。女がひきつった笑みを浮かべて、こちらに手を差し出している。女の顔は、笑っているというよりは泣いているようだ。

彼はそれを無表情に見つめている。なぜ大人たちは、彼から消しゴムを奪おうとするのか？

しかし、彼は自分の持っていた消しゴムを彼女に渡した。

彼女は最初信じられない、という表情を見せたが、やがて目に見えて大きく安堵《あんど》し、溜息《ためいき》をついて薄く本物の笑みを浮かべた。

彼は、その笑みをじっと見つめていた。

本当のところ、彼には消しゴムは必要ではない。それはあくまでもモノに過ぎない。逆に、どんな消しゴムだって構わないし、彼が手にすればなんでも彼の消しゴムになるのだ。

しかし、大人たちはそうは考えていないようだった。実際、彼はいつも消しゴムを手にしていたし、彼がそれを手にしていた時に何かが起きたのだから。

周囲の大人たちが動き出す。安堵の表情がみんなに浮かぶ。

みんなが彼に背を向けて帰っていく。子供たちの肩を抱いて、彼から遠ざかっていく。消しゴムさえ使っていなければ、誰も文句は言わない。

彼はイメージする。自分が消しゴムを使うところを。彼は、なぜか幼い頃からそのイメージを繰り返し思い浮かべていた。

空に消しゴムをかける。

すると、消しゴムをかけたところだけ真っ白になる。他のところは、青い色と、白い雲、鳥や光が溢《あふ》れているのに、そこだけ真っ白になるのだ。

それはそうだろう。絵だって、消しゴムをかければそこだけ空白になる。色鉛筆やクレヨンはなかなか消しゴムでは消えなかったけれど、もっと性能のいいものがあれば、きっと綺麗に消えるはずだ。

彼は、頭の中で空をこすり、山をこすり、町をこすった。そこだけ掻き消える。もっとこする。どんどん空白が増えていく。世界は白く、まっさらになる。ほら、また新しい絵が描けるよ。

誰かがぽつんと立っている。帰っていくみんな、帰っていく紺のジャケットの女の背中。しかし、近くに誰かが一人立ち尽くしこちらを見ている。

身体の大きな、乱暴者の少年。そう、こんな子がいたっけ。どうして世界にはいつもこんな奴《やつ》がいるんだろう。なんのために。誰のせいで。

みんなが酷《ひど》い目に遭っていた。殴られ、蹴《け》られ、髪を切られ、物を盗まれた。狡猾《こうかつ》で、陰湿で、冷酷だった。

ああそうだ、こんな顔だった。誰にも優しい言葉も掛けられず、温かい手で触れられたこともなく、拳と唾《つば》と罵倒《ばとう》だけで育ってきた子供。子供にしては、随分身体が大きかったっけ。ああかわいそうに。こんな人生を送ってきたら、なかなか他人など信用できない。君の世界はもう濁った色でさんざんに塗りつぶされてしまった。これだけ隅々まで塗られてしまったら、もう新しい絵は描けない。

だが、消してしまえば？

彼はそう考えていた。この絵を消してしまえば、新しい絵が描けるかもしれないではないか？　なにしろ、僕はとてもよく消える消しゴムを持っていることだし。

彼はそのことを幼い時から知っていた。

彼は、物心ついた時から自然とその行為をしていた。

誰かがイライラしていたり、彼に攻撃の目を向けた時、無意識のうちにそれを使っていたのだ。彼は最初、それが自分の行為だと気付いていなかった。ただ、嫌だな、静かにしてほしいな、と願っていると、そのうち大人たちの顔から何かが失われて、皆ハッとしたように周囲を見回すのだ。最初はぼんやりと、やがて蒼《あお》ざめた顔できょろきょろと。

彼としてはどちらでもよかった。とにかく願いが叶《かな》ったのだから。それに、大人たちもそのことと彼を結びつけて考えたりはしなかった。

それが、消す、というイメージと重なったのは幼稚園に上がった頃だろうか。恐らく、字を書くことを覚え、消しゴムというものを与えられた時からだ。彼は文字を読めるようになるのが非常に早かったので、周囲が早々に字を書くことを教えてくれたのだった。

こすって、消す。

こすって、白くする。

彼は、周りの子供たちがそうしているところを飽きることなくじっと眺めていた。消しゴムのかすが散らばり、紙がくしゃくしゃになってしまうところを。その行為に、どういうわけかひどく惹《ひ》きつけられていたのだ。

同時に、奇妙なビジョンが浮かぶようになった。

時折、頭の中で、何かを消すところを見るのである。何かをこすって消してしまうところを。

その都度ハッとして周囲を見回すが、みんな平気にしている。それは彼だけが見ているものなのだった。

やがて、それは彼の夢を侵蝕《しんしょく》するようになった。彼の夢はずっと色付きだった。大抵鮮やかな風景が流れているか、もしくは固定されたカメラのように切り取られた風景が浮かんでいる。

そして、その上を、大きな手のようなものがザッと横切って、景色を消していくのだ。乱暴に手が動かされ、景色は少しずつ掻き消されていく。

その夢はどんどん頻度を増していった。ザッ、ザッ、という音が途切れずに夢の中で響き続け、彼は一晩中何かを消し続けていた。目覚める度に全身にぐっしょりと汗を掻いていていて、日に日に彼は衰弱していった。

心配した大人が医者に見せたが、医者は首をひねるばかりである。

そんなある日、あの男がやってきた。

長い黒髪に、長身の男は、まるでカラスみたいだった。目は不思議な色をしていて、正面から見つめられると、直接心の中を覗《のぞ》かれているようで、彼は思わず後退《あとじさ》りをした。

早い。早すぎる。

男はそう呟《つぶや》いた。

思えば、彼には親というものがいなかった。奇妙な集団生活。子供が大勢。面倒をみる女たちと、繰り返し訪れる男たち。彼らは温厚で辛抱強かったが、どこかに非情さと諦念《ていねん》めいたものを隠し持っていた。

いや、もういい。こんなことを思い出している場合じゃない。

火浦は、いつのまにか子供時代のイメージに浸っていることに気付き、慌てて身体を起こした。

雨は降り続く。非情な雨。

ぽつんと立っている少年。

一人だけ。

そう、だから、あれはむしろ厚意だったのだ。

再び火浦は考え始めている。

あいつの境遇を、これまでの人生を憐《あわ》れみ、不憫《ふびん》に思い、周囲のためを思ったのだ。

それに、あいつ自身、あんな嫌な人生は忘れてしまいたいに違いない。封印したい、呪《のろ》われた幼年時代をどうして保管しておく必要がある？　新たな人生が目の前に開けていたほうがどんなに幸福か。

そうだろう？

少年の顔は、いつのまにか空白になっている。薄い灰色をした、余白になっている。

どんな顔だったっけ？

手がゆっくりと大きく動く。黒板を消すように。ゆっくりと力を込めて。

雨の音が強まる。

結果は――結果は、そう、立派な結果が出た。お望み通りの結果が。

彼は二度と乱暴もしない。暴言も吐かない。人のものを盗まない。おとなしく、害のない人間になった。そう、新たな人生が彼の前に開けた。よだれを垂らし、静かに微笑《ほほえ》み、言葉すら忘れて、ただじっとベッドの真ん中に座っている人生が。

それをこっちに寄越しなさい。さあ、早く渡すのよ。

かつてロボトミー手術というものがあってね。

カラス男が呟く。

凶暴な人間や、精神疾患のある人間の脳の一部を切除してしまうことが実に日常的に行われていた時代があったんだよ。魚をさばくみたいにね。

それを渡すのよ。

君のやっていることはそれに近い。いや、それよりも遥かに強力なのだ。なにしろ、手も触れずに人格や記憶まで消してしまうのだからね。

うるさい。あっちへ行け。どうしてまたこんな時に、こんなイメージばかり、昔の声ばかり浮かんでくるんだ。

火浦は思わず舌打ちし、振り返っていた。

が、目の前の光景に、一瞬呼吸が止まった。

柱の群れは消えていた。

いや、正確にいうと、柱の群れは別のものに変わっていた。

そこにあるのは人間の頭だった。

誰かの巨大な頭が、長方形の暗い空間の床から、上半分ばかり生えている。

頭は脳が剝き出しになっていて、上のほうがケーキを切り出したみたいに欠けていた。

灰色の、ぐにゃりとしたものが巨大な築山のように目の前に聳えている。

シュールな眺めだな、と火浦は考えた。昔のシュールレアリスムの連中にも、うちの仲間がいたんだろうか。

火浦は一歩前に踏み出してみた。

頭は消えない。床から生えているのは、眉毛《まゆげ》から上だ。ごわごわした眉だ。これだけ大きな頭の眉毛なので、狐《きつね》のマフラーくらいもある。

見覚えのある眉。俺が人格を消してしまったあの少年に違いない。

なるほど、と火浦は思った。

この場所は、やってきた人間の不快な記憶を探し出し、それを増幅するのだ。「洗濯屋」の俺であってもきちんと作用するらしい。時子よりも遅れたのは、彼女たちほど受容性が高くないためだろう。

火浦は腕組みをして、目の前に聳える頭を見上げた。

たいしたものだ。こんなに鮮やかな悪夢を増幅して提示してくるのだから。

ならば、これから俺は時子のいるところに行けるはず。たぶん、これがきっかけになるはずなのだ。

火浦は待った。柱は消えている。どこが入口なのか。どこに吸い込まれるのか。

しかし、何も起こらない。火浦は周囲を見回した。かすかに震動を感じたからだ。

だが、相変わらず彼は広い空間の暗い床に立ったままで、やがて目の前の頭がずぶずぶと嫌な音を立てて沈み始めた。

どういうことだ？

火浦は、呆然《ぼうぜん》として少しずつ沈下していく灰色の脳の塊《かたまり》を見つめた。

このまま消えてしまうのか。

俺はこのままなのか。

彼の焦りをよそに、頭は底なし沼に沈むように徐々に下がっていく。

まさか、そんな。火浦は慌てた。ひょっとして——恐怖を感じなかったからか？

恐怖は生存の欲求に過ぎない。もはや俺には恐怖などという贅沢《ぜいたく》なものは感じられない。

いや、感じていないわけではない。この気味の悪い光景に、おのれの過去の罪を暴露するこの脳に、決して何も感じていないわけではないのだ。

切り出された脳の部分が目の前に下りてくる。

本当に、羊羹《ようかん》かパウンドケーキでも切り出したみたいに、綺麗な立方体の形に脳が取り出されていた。

頭は更に目の前で沈んでいく。が、切り取られた脳の奥に、ぽっかりと扉の形に穴が空いていることに気付いた。

なんだ、あれは。本当に穴が空いているのか？

火浦は首を伸ばして穴を覗き込んだ。暗くて見えないが、階段らしきものがちらっと見える。巨大な脳の中の階段。口にしてみただけで肩をすくめたくなる言葉だ。が、彼は無意識のうちに歩き出していた。

いつのまにか脳も下の部分が沈んでしまい、穴はすぐそこに、ほんの数歩歩けばよいところまで近付いてきていたのだ。

彼は灰色の脳に踏み込み、意外と硬いことに驚きながら、穴の中に入っていった。長身の彼が、前屈《まえかが》みになってちょうどいい高さである。

脳は硫黄の臭いがした。

いや、違う。これは俺の記憶の中のものだ。ここは臭いなどない。記憶から掘り出され、増幅された悪夢のイメージに過ぎないのだから。

彼は自分にそう言い聞かせ、足元を見下ろす。

目を凝らすと、下に降りていく螺旋《らせん》階段が続いていた。

暗闇のはずなのに、階段がぼうっと鈍く光っていて、気の遠くなるような螺旋を描いて下へと降りていくのが目に見えた。

脳の中の階段。その昔、子供の頃に人格破壊をした少年の脳の中を、今俺は降りていこうとしている。ここを降りていくと、どこに出るのか。時子のいるところとはまた別のところなのか。元の世界に戻ることはできるのか。

疑問はきりがなかったが、火浦は無表情のまま階段を降り始めた。

「——嘘《うそ》よ」

暎子は自分の笑う声を遠いところで聞いた。些《いささ》か調子っぱずれな、これまで聞いたことのない、何かが壊れた笑い声を。

「そんなめちゃくちゃな話を信じると思うの？」

「君は私の教え子の一人だった」

夫だったはずの男は、恐怖を押し殺した表情のまま続けた。

時子が凍りつくような目で彼を見つめている。

放課後の教室。少しずつ暮れていく窓の外の風景。これはなんの場面？　三者面談か、進路指導か。それとも、ただのお喋《しゃべ》り？

「教室に入った瞬間、君が『あれ』だと分かった。君は光り輝いていた。それまでに出会った中でも、とても強力な『あれ』だった」

階段状の大教室。笑いさざめく学生たち。

「僕は君を『裏返した』」

遠い国から懐かしい声が聞こえてくる。

マイクを通した、講義の声が。

「君を『裏返す』のにはかなり苦労した。これまでのベスト3に入るよ」

少しだけ声が柔らかくなった。ベスト3。おほめの言葉をありがとう。それって、ワースト3の間違いではないのかしら。暎子は、自分の口から奇妙な笑い声が漏れていることに気付く。

「それで済んだはずだった——済ませるべきだった」

名前を知らぬ目の前の男の声が震える。

「だが、そうはできなかった。僕が、君に一目ぼれしてしまったせいだ」

聡明で美しい、自信に溢れた女子学生。

なんの苦労も知らず、人生の罠《わな》にも気付かぬ娘。

「僕は改めて君に近付いた——君も僕に好意を抱《いだ》いた——僕たちは恋に落ちた」

素敵な物語。輝きに満ちた恋物語。ハッピーエンドはどこ?

「だが、つきあい始めて、僕は奇妙なことに気付いた」

夕暮れの教室が、静かに闇に沈み始めている。

三人の顔が、少しずつ暗くなっていく。あたしたちは誰。ここはどこなの。いったいこれは何の話なの。

「『裏返した』はずの君は、なぜか僕と同じ能力を身に付けてしまっていたんだ」

「そんなことが」

弱々しい声が聞こえた。誰の声かしら。隣に座っている娘だ。今の娘。あたしの娘。

「なぜかは分からない。だが、事実だ――もしかすると、君を『裏返す』のにとても手間取ったから、その時に何かが起きたのかもしれない。僕の個人的な思い入れが何かを君に伝えてしまったのかもしれない――無意識のうちに、君を取り込もうとしていたのかもしれない。とにかく、君はとても戸惑っていたし、非常に混乱していた。当然だ。それまでまるで見たことのないものを見るようになったんだから。一時期は、混乱どころか、対人恐怖症に近いところまで追い詰められてしまった」

男は黙り込んだ。その表情がよく見えない。

「僕は、決断を迫られた」

その声は暗く、不吉な響きに満ちていた。

思わず、二人がその顔を見てしまうほどに。

なかなか、続きを話そうとしない。暎子はじれったくなる。既に恐ろしい話をしてしまっているではないか。これ以上何を躊躇《ちゅうちょ》するというのだ。

「何の？」

時子が弱々しく尋ねる。聞きたくないけれども、嫌々質問をしているような声だ。

「君は、元々係累が少なかった。ご両親を早くに亡くしていたし、育ててくれたおばあさんも当時身体を壊して長いこと入院していた。親戚《しんせき》などとは、ほとんど没交渉だった。僕はそこに目を付けた」

溜息のような声が漏れてくる。

これは本当に声なのだろうか。何かの幻想では。何かの間違いでは。ただのBGMではないか。

「僕は『洗濯屋』を頼った」

暎子は思わず顔を上げた。

「なんですって」

「火浦を呼んだ」

「火浦って、あの」

時子が言いかけると、男は首を振った。

「彼じゃない。もっと上の世代のほうだ」

「上の世代」

気まずい沈黙が降りる。暎子はじわじわと恐怖が込み上げてくるのを感じた。

「『洗濯屋』を呼んで、どうしたの」

しわがれた声で尋ねていた。まあ、おばあさんみたいな声。これがあたしの声なのね。まるで、アニメに出てくる魔女の声みたいだ。

男は顔の前で手を合わせた。明らかに動揺している。その事実を口にしたくないのだ。

「お父さん」

そう呼ばれた男はびくっと身体を震わす。教室は黄昏《たそがれ》に沈み始めている。三人を飲み込んだまま、暗いところへと。

僕は。沈んでいく。少しずつ。

「君を洗ってもらった。少しずつ、君の記憶を改竄《かいざん》して、元からうちの一族の人間だったことにしたんだ」

ほとんど声は聞こえないくらいだった。しかし、聞こえた。ひとことひとことが心臓に突き刺さってくるようにはっきりと。

君を洗ってもらった／少しずつ、君の記憶を改竄して／元からうちの一族の人間だったことにしたんだ／

暎子は、いつしか、彼の声が直接頭の中に響いてきているような気がした。

お父さん／

時子の声も。

洗ってもらった。あたしを。「洗濯屋」に。

暎子は世界が溶解したような気がした。頭を両側からつかまれて、ねじって引きちぎられたよう。

あたしはあたしではない。これまであたしだと思っていたあたしは、あたしではなかった。夕暮れの教室がぐにゃりと歪《ゆが》む。歪んで、ちぎれて、渦を巻き始める。

「君の育ての親は、高齢で、長年の入院で、君の顔も分からなくなっていた。だから君が何を言っても疑われることはなかった。僕はそれを利用した。君を——僕が少しずつ洗ってもらった君であることを、君は疑わなくなっていった」

八百屋のおばあさん。息子さんを事故で亡くした。店先に腐っていく野菜や果物を並べていた。あれがあたしのきっかけだったの。あれ以来見るようになったのよ。何かがスイッチを入れるに違いない。リトマス試験紙みたいなものじゃないの。

「だから、僕は一族とは距離を置いた。自分が『裏返した』人間を、しかも、『洗濯屋』にこっそり不当に洗ってもらった人間を、自分の妻にしたのだから。そんなことを知られるわけにはいかなかった。許されるはずもなかった。僕は君に言い聞かせた。同じ能力を持つ者どうしは婚姻を禁じられていると。だから僕たちは、一族とは離れていなければならないのだと」

洗ってもらった人間を／自分の妻にしたのだから／そんなことを知られるわけにはいかなかった／許されるはずもなかった／

不文律なのよ。うちは親戚も少なかったし。

「一族のほうもそれを信じた。僕が、同じ力を持つ女と結婚したからみんなと接触しないのだと。それを信じて、一族のほうも僕を避けた。僕がタブーを破ったからだと」

だからなの？

「僕は君と一緒になった」

だからあたしを捨てたの？　元はバケモノだったあたし。異物だったあたし。ニセモノのあたしを。

「僕は火浦家に弱みを握られていた。彼らは一族にこのことを黙っている代わりに、僕に協力を求めてきた。『裏返された』者たちの捜索を。僕は断れなかった」

どうしてあたしを捨てたの？　あたしはやっぱり追い詰められていた。あなたとの歳月は夢だと、あたしの妄想だと、そう考えるところまで行った。今にして思えば、そっちのほうが正しかったのね。

「済まない。もう謝っても仕方がないのかもしれないけど、済まない。本当に済まないことをしたと思っている」

あのおばあさんたちは？　薬局の人は？

「あれも火浦家の人たちだ。分家に当たる人たちで、同じ火浦でも昔から折り合いが悪い。つまりその——僕たちをどうするかについて、彼らはずっと揉《も》めている。随分長い間意見が対立している」

もうあたしたちをみんな洗ってしまおうというんでしょう／

そこに時子の声が割り込んできた。暎子と男はハッとする。自分たちの娘。異物どうしの娘。なぜか急に、高校の漢文の授業が蘇ってきた。異類婚。狐や、魔物や、人間ではないものとの婚姻というのが昔の中国の説話にはよくあったっけ。あれには何か深い意味があったのかしら。何か他のことを表していたのかしら。

バケモノの娘。あたしたちが造った。

「どうして知っている？」

火浦さんに聞いたの／もう終わりにすると／もうあたしたちは少数派なのだと／「裏返す」こと自体もう無意味なのだと／だから、あたしたちを戦線から離脱させることが彼らの目的なんだって、聞いたわ／

この子はどうなるの。あたしたちから生まれたこの子は。

なにしろバケモノの娘なのよ。ねえ。あたしたち以上に素敵な人生を送れるんじゃなくって？

これからあたしたちはどうなるの。これで終わりなの。あなたはどうするの。

「君は目覚めるよ。全てを忘れて。時子と二人で生きていける」

全てって何。今度は何を忘れるの。あなたのこと？　あなたと暮らした人生のこと？　あなたに捏造《ねつぞう》されたあたしの人生のこと？

「済まない。済まない、暎子。時子。君たちは二人でやっていける」

なにしろあたしたちはバケモノだからね。

沈む。沈んでいく。教室が。世界が。家族だと信じていたものが、暗いところへと。

いつのまにか辺りはすっかり暗くなっていた。窓の外も、教室も。

「そう。僕は、全てが終わる時、僕がこうして真実を語る日のために、一つのキーワードを決めておいた。君も少しずつ思い出してきているはずだ。僕が君に『僕の名前は？』と尋ねた時に、全てが解除されるようにと」

僕の名前は？　暎子。僕の名前を言ってごらん。あたしの夫の名前を。

突然、ガラリと戸が開いた。

（ここにいたのかい）

教室の戸が。

そこから光が射し込み、人影が逆光になっている。

（皆さん、お揃《そろ》いで。久々のご対面はいかがでしたか？）

あの青年だった。黒い髪に黒い服、すらりとして目が鋭い――

「火浦。どうしてここに」

男が驚きの声を上げる。

青年の後ろに、螺旋階段が見えた。おかしい。さっきまで廊下だったはずなのに。

(話は聞こえたよ。拝島さん、ようやく俺にも事情が分かったよ。なるほどね、「裏返した」女だったのか。それでこそこそと一族から逃げ回っていたのか。あのカラス親父《おやじ》が何かあんたの弱みを握っていたのには気付いていたけれど、一族以外の人間を「洗った」なんて初めて聞いたな)

「いや、もう、あの時は、一族になっていたんだ。仕方なかったんだ」

(なるほどね。廃人にして放り出すわけにはいかなかったと、そういうわけだ。俺とは大違いだ。あんたは心優しい男だよ)

「君はどうやってここに来たんだ。君はここには来られないはずなのに」

(あんたのお嬢さんに手伝ってもらった。彼女は異能の持ち主だからね)

「時子が」

あたしは迷っている／もうまっさらに戻してほしいのか、これまでの恐怖を覚えていたいのか／どうしたらいいのか分からない／

いつのまにか教室は消え失《き》せ《う》ていて、暎子たちは奇妙な灰色の空間に四人で立っていた。

なんだろう、この気味の悪い空間は。なんだか、ぶよぶよしていて、変な臭いが漂ってくるような気がする。

（失礼。今はちょっと俺の記憶が邪魔をしているんだ。じきに消すよ）

火浦はそのことに気付いたのか、肩をすくめた。

そして、ちらっと冷ややかに男を見る。

（感動の一家ご対面のところを悪いが、あんたには出てきてもらいたい。「包まれて」いるのをいいことに、勝手に引きこもってられたんじゃ何の解決にもならないんだ。他の大勢の人間も、いい加減に出てきてもらいたい。ずっとここにいられても何も変わらない。俺に心置きなく「洗濯」をさせてもらいたいんだけどね。腕には自信がある。あんただってそのことは知ってるだろうに）

男がぴくりと反応する。しかし、それは歓迎の態度ではなさそうだ。彼は火浦がこの場に現れたことに驚き、焦り、神経質になっている。

火浦は冷ややかに続けた。

（あんたたちも、心の底じゃあそれを望んでるんじゃないのかい。「待避所」からこの変な建物の中に移って、隠遁《いんとん》生活を送ってるのは分かるが、他の連中も、まっさらな人生を歩みたいと実は願ってるんじゃないか）

「おまえに何が分かる。根こそぎ廃人にしてしまったこともあるくせに」

男の声が震えた。

火浦は両手を広げて、あきれた声を出した。

（おやおや、あんたに非難されるとは思わなかったぜ。あんたも罪深い男だね。自分のわがままで一族に引き込んだ妻子を放り出して、勝手に隠居かい。俺たちを利用して、人の手を汚させていることには平気なのかい）

「手を、手を汚すなんて、そんなことは。僕は」

（そうやって、お上品に傷ついてみせるんじゃないよ。あんたのその偽善的な態度が、家族をどんなに苦しめたか知りもしないで。知ってるよ、あんたは火浦のばあさんが呼びにいった時、喜んでついていったよな。偽りの生活、あんたが幻想を作っている生活、あんたが妻子に拭《ぬぐ》いがたい罪を犯し続けている生活から解放されることに安堵していたんだ。あんたは、俺たちのせいにしているけど、本当は違う。あんたのせいだ。あんたが自分で招いた結果なんだ）

「やめろ！　僕はよかれと思ってやったんだ。僕があしなければ、暎子こそ廃人になっていたかもしれないんだぞ」

（ああ、分かってるよ。だからカラス親父を呼んだんだろ。あの恥知らずの親父ならば、どんなことでもやってくれるからな）

「うるさい――うるさい、おまえなんかに僕らの苦しみは分からない。『あれ』に怯《おび》えて、『あれ』の影にびくびくしながら生活していく苦しみなんか」

（ああ、分からないね。だからこうして引きこもってるってことは分かるが）

「うるさい。うるさい。うるさい。放っておいてくれ。僕らをこのままそっとしておいてくれ」

男は頭を抱えて身もだえした。

お父さん／

時子が溜息のように呟くが、自分が何と呟いたのかも分かっていないようだった。

火浦は時子を見、暎子を見、男を見た。

灰色の部屋。足元がぶよぶよしていて気味が悪い。暎子は肌寒さを感じた。

（ふうん。よく考えてみるとこいつは面白いな。こんな機会はめったにない。一つ、試してみないか）

火浦が何か思いついたように顔を上げて、三人を交互に見た。

誰もが、初めて見る人間のように火浦の顔を見る。

（こんな組み合わせの顔ぶれが集まることなどめったにない。あんたたちの能力がどれくらいのものなのか、見せてくれないか。いや、見せてもらうぜ）

不意に口調がぞんざいになり、火浦は男を冷たい目で見た。

（あんたは、この能力の世界では桁違《けたちが》いに強いそうだな。だったら、妻子を二度捨てるようなことなんかしないで、騙《だま》しおおせてやったらどうだ。そのほうがよっぽど親切だぜ）

「騙しおおせる？」

（そうだ）

火浦は腕組みをして、その辺りをゆっくりと歩き回り始めた。

（妻子を「裏返せ」。家庭円満な世界を築いてみせろ）

火浦は暎子を見た。

（あんたもだ。あんたは元々別の能力を持っていて、こいつに方向転換させられて、同様の力を持つようになったんだろ？　だったら、あんたも旦那《だんな》と娘を「裏返せ」。旦那を説得してみろ。これまでの人生のほうが本当だと信じこませるんだ）

火浦は最後に時子を見た。その目に、ほんの少し暗いものが混じる。

（あんたは、随分と気の毒なポジションに置かれちまったな。俺の同情なんかありがたくないだろうが、さっきの話を聞いたあとじゃ思わず同情するぜ。だが、あんたにも可能性はある。なにしろ、ハイブリッドだからな。世界を自分の手に取り戻すことができるかもしれないぜ？　やってみる価値はある）

火浦は人を苛立《いらだ》たせるテンポで無言で歩き回る。

三人は、一歩も動けずに火浦を見ていた。彼の提案がどこまで本気なのか、何をやらせようとしているのか、不安そうになりゆきを見守っているのだ。

（いいか。あんたたちに断る権利はない。あんたたちにどれくらいの能力があるのか、どれくらいの可能性があるのか、本当にあんたたちに将来があるのか、見せてもらいたい。その結果如何《いかん》で、「洗濯」については考えてみてもいい。だが、あんたたちが自滅するようだったら、俺は即刻「待避所」からあんたたちを引きずりだして、「洗濯」させてもらうからそのつもりで）

何をすればいいの／あたしたちに選択の余地はないの／ただ自分たちの過去を失いたくないというのは許されないの／

（その過去に怯えて、逃げ回っていたのはあんたたちじゃないのかい。自分の運命を呪っていたのでは？）

それはそうだけど／

（ステージは俺が準備する。さあ、とりあえずここを出てもらおうか）

「ここを出る？」

（そうだ。とりあえず、あの出入口のない館《やかた》まで戻ってもらう。あそこまで行かないと俺も準備できないからな）

「罠じゃないだろうな」

（罠？）

火浦はせせら笑う。

（そんな贅沢なもん、ないよ。あんたって奴は、本当に何も分かっていないないな。結局自分のことしか考えてない。すぐに一族のことを口にするくせに、一族のことなんかこれっぽっちも考えてないんだ。ま、当然だな。第一、てめえの家族のことすら考えてないんだからな)

「嫌味はよせ。分かった」

いいの、あなた？　ずっとここにいたいのではなかったの？

「いいのさ。これが君たちにしてあげられることならば」

(ほら、そうやってまた人のせいにする)

「いい加減にしろ！」

男は声を荒らげた。

三人は、扉を開けた火浦の後ろについて螺旋階段を登り始めた。

なんなのかしら、この階段は。この気持ちの悪い壁は何？

(知らないほうがいいと思うね。精神衛生上。俺の人でなしな過去から引っ張り出してきた産物なもんで)

「おまえが廃人にした人間の体内だろう。違うか？」

(おっと、バレちまった。すまんねえ、グロで。あんたが奥さんに植え付けたのはなんだっけ？　コケだっけ、カビだっけ？)

「口の減らない奴だな」

随分長い階段だわ／どうしてこんなふうに／ここはいったいどういう世界なの／あそこに出口が見えるわ。

暎子は指差していた。

ぽっかりと開いた空間。

（ＯＫ、始めよう）

火浦がぱちんと指を弾く音が聞こえた。

三人は、次々と、開けた、暗い空間に出て行った――


時子は目を覚ました。

なんだか、やけに深い眠りから覚めたような心地だった。

だが、そこはいつもの自分の部屋だ。カーテンには柔らかな縞模様《しまもよう》ができていて、外は素晴らしい天気であることが窺《うかが》える。

随分ぐっすり眠ったな。そうか、ゆうべの飲み会で、三軒目まで行って、卒業してすぐに結婚するっていうミドリの話をみんなで聞いてて、ハイテンションでお喋りしちゃったんだ。

時子は布団の上で伸びをした。

卒業してすぐ結婚なんて、想像もできない。もう家庭に入ってしまうなんて。

枕元《まくらもと》の時計を見てびっくりする。やだ、もう一時だわ。幾らお休みとはいえ、お母さん、起こしてくれたっていいのに。

慌てて起き上がり、カーテンを開ける。とてもいい天気だ。

家の中はしんと静まり返っている。

あれ？　時子は襖《ふすま》を開け、廊下を窺った。お母さんは？

あ、そうか。今日はデートなんだ。時子は思わず指を鳴らした。

そうか、そうか。朝から出かけるって言ってたもんね。銀座で映画見て、食事するって。なんとまあ、高校生みたいなデート。

時子はなんだか嬉《うれ》しくなって、一人ニヤニヤしてしまった。

ゆっくりと遅い朝食を取る。いや、もうお昼も過ぎ、おやつの時間に近い。

母の、くすぐったそうな、困ったような顔が浮かぶ。

プロポーズされたって言ってたっけ。高校時代の同級生だったよね。脳外科医をしているんだって。まだはっきりしたわけじゃないのよ、って、お母さんは笑ってたけど。なんだか、決まりそう。お母さんもその人のこと嫌いじゃないみたいだし。

時子は食卓を手早く片付けると、そっと母が寝室に使っている和室に入った。

鏡台の隣に、小さなスペース。仏壇は嫌だといっていたので、写真とお花だけ。

写真の中の父は、穏やかに笑っている。

父が姿を消してから十数年が経った。ついに、母は失踪届《しっそうとどけ》を出した。お父さんは亡くなったことになるのだ。

長いような、短いような、奇妙な歳月だった。本当に、お父さんはこの世のものではないのだろうか。どこかで元気に暮らしているのではないか。そう考えると、失踪から七年が経てば死者扱いされることが不思議になってくる。けれど、何かの区切りが必要だったのは確かだ。蒸発、蒸発、と当時流行《はや》りの言葉で盛んに言われたけれど、母はとても傷ついていたし。お父さんをあきらめるためには儀式が必要だったのだろう。

いいんだよ、これで。ね、お父さん。もうお母さんを解放してあげて。

時子は写真をちょっと拝んでから、花の水を替えようと思ったが、母が今朝《けさ》替えていったことに気付いた。高橋さんとデートに出かける前に、母もこの写真を拝んでいったのだと考えると、なんだか切なかった。

お母さんが再婚したら、あたしはどうしよう。

母が悩んでいるのもそのことに違いないのだ。

あたしだってもう大人だし、来年は社会人なのだから、家を出て一人暮らしをしたっていい。でも、ひょっとするとお母さんが高橋さんのところに引っ越すことになるのかな？　そのほうが自然だろうか。幾らなんでも、ここに高橋さんが一緒に住むってことはないだろう。新婚なんだし、お邪魔虫になるのは嫌だ。

時子はそう思って苦笑した。

あたしがアパートを借りて、ここに高橋さんが来て、お母さんと二人で暮らす。それがいいかな。でも、お父さんが住んでいたところに来るのは高橋さんも嫌だろう。やっぱり、お母さんがここを出て、心機一転、新しいところで再婚生活を始めるっていうのがいいんじゃないだろうか。

時子はゆっくりとシャワーを浴びた。なんのかんのいってゆうべは沢山飲んでしまったので、なんとなく身体がふわふわしているような気がしていたのだが、ようやくお酒が抜けていったようだ。

バスタオルで髪を拭《ふ》きながら、ジュースを飲もうと冷蔵庫に手を伸ばす。

ふと、扉のマグネットに目が留まった。

あら？　ここに何か大事なものが無かったっけ？

トースターのマグネットと、アイスクリームの形をしたマグネットが仲良く並んでいるだけ。時子は首をかしげた。胸の底が小さく波立つ。気のせいかな。ここに、長いこと何かを留めておいたような気がするんだけど。

胸の中の漣《さざなみ》を宥《なだ》めながら、ゆっくりと着替える。

そう、あたしだって今日はデートなのだ。明日はお母さんと報告会をしなくっちゃ。あたしの待ち合わせは夕方。場所は銀座じゃなくて新宿なのが残念だけど、学生だから仕方がない。お金がそんなになくたって、幾らでも楽しみは見つけられる。それに、あの人が一緒ならば、歩きながらの缶コーヒーだって、公園で飲む缶ビールだって、じゅうぶんに楽しい。

不意に、胸の中を冷たい風がかすめたような気がした。

なんだろう、なぜ急に憂鬱《ゆううつ》になってしまったんだろう？　今何を考えていたっけ。

お金がなくたって、幾らでも楽しみは見つけられる――歩きながらの缶コーヒーだって、公園で飲む缶ビールだって――缶コーヒー――缶。

ざわっと鳥肌が立った。どんよりと憂鬱が募る。

どうしたんだろう、あたし。なんでこんなことで憂鬱になるのかしら。

自分の顔をぴたぴたと叩いて気持ちを奮い立たせ、鏡の中でアクセサリーを着ける。

清楚《せいそ》な紺のワンピースに合うネックレス。

そう、今日は初めての二人だけのデートだから、きちんとした格好で会いたかった。

このワンピースはあたしによく似合う。きっと彼も気に入ってくれるはず。

再び、何かが胸をかすめた。

さっきよりも一層激しく不安が彼女を揺さぶる。

変だ。なんだか変。最近、同じようなことを、このワンピースを着て考えたような。初めて会う人だし、きちんとした格好で。人通りの多いところに行くのよ——

時子は暫く鏡の中の顔を見ながらぼうっとしていた。

が、はっと我に返り、約束の時間が近付いていることに気付くと、慌てて化粧をした。

やあねえ、なんだか今日はおかしいわ。急に不安になったり、ぼんやりしたり。社会人になるのが憂鬱なのかしら。

戸締りをして家を出る。

暖かい陽射しが頬《ほお》を撫《な》でると、さっきまでの不安が吹っ飛んでしまう。

道行く人々も機嫌よく、気持ちのよい午後だった。

いい天気。絶好のデート日和《びより》。

時子は近所の人に挨拶《あいさつ》し、駅に飛び込み、時計を気にしながら新宿に向かった。

ええと、待ち合わせ場所は。

人ごみを縫うように急ぎ、約束の場所に向かう。

なんだか、あたし、人ごみ歩くの下手《へた》ねえ。まるで初めて歩くみたい。見慣れた新宿の街なのに、身体がぎくしゃくしちゃってうまく動かないわ。こんないい歳《とし》をして、東京生まれの東京育ちなのに恥ずかしい。だから、あまりみんな飲み会に誘ってくれないんだわ。時子と盛り場を歩くのは嫌だって言われちゃうのよ。

頭の中を何かがかすめる。

盛り場を歩くのは嫌――時子が嫌がる――彼女、広場恐怖症で――気を付けてあげようよ、相当つらいみたい――こないだも脂汗流して――

腋《わき》の下に冷たい汗を感じた。

なんなの、誰の話なの？　友達にそんな人いたっけ。広場恐怖症？　どうしてそんな言葉が頭に浮かんだのかしら。あたしはそんなんじゃない。

時子は蒼ざめた顔で、人ごみを駆け抜ける。

さあ、これから楽しいデートなのよ。余計なことを考えるのはやめて、ゆっくり楽しむのよ。

彼の姿が目に入る。すらりとした長身の、素敵な彼。知り合ったばかりなのに、なんだかずっと前から知っているような気がした。あたしのことを何でも理解しているようで、その不思議な雰囲気に惹かれたのだ。

彼はこちらに背を向けていた。映画館の看板を見上げているのだ。

何の映画かしら。時子はその背中に向かって駆けていった。どきどきしているのは、ずっと走ってきたせいばかりではない。

ぽんと親しげに肩を叩く。

「お待たせ。何見てるの？　何の映画？」

弾んだ声で話し掛けると、彼はくるりと振り向いた。

長めの黒髪。暗黒のような無表情な目。

「映画じゃない」

時子は凍りついた。変だ。なんだか変。今日は初デートなのに。一緒にいれば、何をしても楽しいはず。

パーン、という甲高い音が響く。どこかで聞いた音。どこかで、何度も何度も聞いた音。時子はのろのろと看板を見上げる。ネオンサインの点《つ》いた、巨大なボウリングのピン。

「ここはボウリング場だ。**で、あんたのボウリングのピンは今どこにあるんだ？**」

時子は顔を手で覆い、悲鳴を上げた。


暎子は目を覚ました。

「ねえ、お母さん、見てよー」

時子が手を振っている。

「ああ、そうね」

暎子は慌ててねぼけまなこで立ち上がった。ケーキを焼いているほんの短い時間、ソファでうとうとしてしまったのだ。

「大丈夫か、昨日も残業で遅かったんだろ？　ちょっと隈《くま》ができてる。君は疲れるとすぐ隈が出るからな。ちゃんと布団で寝たら？」

もう一つのソファで資料を読んでいた夫が、暎子の顔を覗き込み、自分の目の下を指差した。彼は、暎子の体調に敏感なのだ。

暎子は苦笑して手を振った。

「大丈夫よ。腰下ろしたら、ついうとうとしちゃって」

なんだろう、短い時間の割には随分深い眠りだった。

暎子は首をひねる。こういううたたねのほうが、半分覚醒《かくせい》しているだけにいっぱい夢を見るのよね。なんだか、気味の悪い夢見ちゃった。

暎子は欠伸《あくび》をして、肩を回した。

オーブンからは、甘いおいしそうな香りが流れ出していた。時子が待ちきれなくなったのも無理はない。今日は初めて一緒にケーキを作る日なのだから、彼女は緊張していた。

「どれどれ。じゃあ、この竹串《たけぐし》を刺してみて」

「刺してみたらどうなるの？」

「竹串がスッと抵抗なく通って、何もくっついてこなかったら中まで焼けてるわ」

オーブンを開けると、熱気が溢れ出しムッとする。

「あっつーい」

時子が思わず頭を引っ込めた。剝き出しの脳。

「気を付けて」

そう声を掛けながらも、暎子はぼんやりした。今、何か妙なものを見なかった？

三角巾《さんかくきん》をつけた時子は恐る恐る竹串をケーキに刺している。風船のように、ぺしょんと潰《つぶ》れてしまうのではないかと心配しているのだ。

オーブンに頭を突っ込む。剝き出しの脳。灰色の。

暎子はぎくっとした。なぜオーブンに頭を？　昔、そういう詩人がいなかったっけ。女性の詩人で、子供を残してそうやって自殺したのだ。彼女の詩を昔、授業で。

暎子は硬直したまま、立ち尽くした。

「いいみたいだよ」

時子は取り出した竹串を見ながら満足そうに頷《うなず》いた。

「どれ」

暎子は竹串を手に取り、中ほどを唇に当ててみる。じゅうぶんに温かい。

「よし、もういいわ。飾りつけの準備をしましょ」

「わーい」

時子は歓声を上げた。ケーキはなんといっても飾りつけが楽しい。生クリームを絞り、小さな砂糖菓子の花を飾る。ただの丸いケーキが、衣装を着けてどんどん美しくなっていく。

時子は小さな手で、器用に花を飾っていった。緑色をした葉っぱも、次々に貼《は》っていく。緑色の苔《こけ》。緑色のツタ。緑色の、緑色の、緑色のバケモノ。

暎子はぶるっと震えていた。

まただ。また、何かヘンなものを見た。時子が無邪気に葉っぱを貼っていくところを見ているだけなのに。

暎子は助けを求めるように部屋の中を見回した。

いつもの場所で、いつものポーズで本を読んでいる夫。この静かなポーズをそっと盗み見るのが、結婚する前から好きだった。ええそう結婚する前から。ずっとずっと前からよ。大教室で。詩の講義を。

「かんせーい」

二人で拍手をしていると、夫が「どれどれ」とやってきた。妻と娘が一緒に作ったケーキを前に、相好を崩している。笑うと本当に人の良さそうな目になるので、暎子も時子もいつもその顔を見て笑ってしまう。パパって笑うと日なたの猫みたい。時子はそう言って笑う。

日なたの猫。丸まっている。柔らかい。ぐにゃぐにゃしている。灰色の。ぐにゃぐにゃした、緑色の脳味噌《のうみそ》。

瑛子は瞬《まばた》きをする。

きっと、さっきのうたたねで見た夢のせいね。短い夢をいっぱい見ていたから、その残像が目に残っているんだわ。

瑛子はそう自分に言い聞かせ、時子と一緒にケーキを切り分ける。

甘い匂《にお》いが漂い、三人で歓声を上げる。

丸いケーキを上手に三等分する方法を時子に教え、瑛子はお茶の準備をする。ケーキに合う、ニルギリの紅茶。

紅茶の香り。温かい湯気。こんな時、幸福を感じる。家族三人で休日の午後を過ごす幸せ。落ち着ける我が家。他には何も求めない。こんな日がずっと続いてくれさえすれば、もう何も。

瑛子は目を閉じて、紅茶の香りを胸いっぱいに吸い込む。

が、つんと何か嫌な臭いを感じる。あら、何かしらこの臭い。

甘いケーキの匂いが、紅茶の香りが、その不吉な嫌らしい臭いに掻き消されていく。

「何、この臭い」

瑛子は思わずきつい口調になり、テーブルを振り返る。

「お母さん、ケーキが子供産んじゃった」

時子が困ったような顔でこちらを見ていた。

夫も、ケーキの切り口を真剣な表情で見つめている。

「なんですって？　今、なんて言ったの？」

暎子はまじまじと時子を見つめ、彼女の手元を見た。握られたナイフに、緑色のどろりとした液体がくっついている。

切り分けたケーキの切り口から、ぐにゃりとした楕円形《だえんけい》の、緑色のケーキが産み落とされるところだった。おぞましい臭いを放つ、腐肉のケーキ。ぶるぶると震え、ケーキの切り口から、染み出すように出てこようとしている。皿からはみ出し、テーブルの上にも気味の悪い粘液が点々と飛んでいる。

「駄目よ！」

暎子は金切り声を上げた。

「そんなものを産ませては駄目！　せっかくのあたしたちのケーキなのよ！　三人のケーキなの！」

「でも、お母さん、産まれてくる子供には罪はないんだよ」

時子はやけに落ち着き払った、冷めた口調でそう言った。

夫も、悲しそうな目で彼女を見ている。

「暎子、そんな顔をしないでくれ。このケーキもちゃんと食べよう」

「いや、いやよ、そんなの絶対に駄目」

暎子は乱暴に首を振る。駄目。絶対に駄目。そんなバケモノで緑色にしてしまっては。

うちのテーブルクロスを緑色のバケモノにしてしまっては絶対に駄目なの。

その時、やけに大きな音を立てて玄関のチャイムが鳴った。

三人で、一斉に玄関を振り返る。

チャイムは、二度、三度としつこく鳴らされた。

「誰だ、こんな時に」

「あたしが出るわ」

暎子は振り乱した髪を撫でつけながら、エプロンで手を拭って玄関に出た。

「はい。どちらさま?」

「どうです、ケーキの出来は?　ケーキの出来を見に来ました」

低い声がインターホンから流れてくる。どこかで聞いたことのある——どこか不吉な。

ドアを開けてはいけない、と心では叫んでいたのに、手はドアを開けていた。

そこに、暗黒のような瞳《ひとみ》が二つ並んで彼女を見ている。

「で、あんたたちのバケモノはいったいこれからどうなるんだ?」

暎子は声にならない長い悲鳴を上げ続けた。

彼は目を覚ました。

ぶるっと寒さに身体が震える。

目をこすりながら身体を起こすと、そこは病院の長い廊下だった。

硬いベンチで居眠りをしていたのだ。

廊下を冷たい風が吹き抜ける。夜の病院は、どうしようもなく陰気だった。しかも、彼は妻の育ての親である祖母が間もなく息を引き取ろうとするのを待っているところだったのだ。

家族運がないの、と妻はしばしばあきらめの混じった口調で呟いた。

とてもそうは見えないよ。これからはよくなるさ。子供もできて、どこにでもある、普通の家庭を作ればいい。彼はそう言った。実際、教室で見た彼女は華やかで、ぴかぴかしていて、愛情をいっぱいに受けて育ってきた、何不自由ないお嬢さんに見えたのだ。

いったい何時間こうしていたことだろう。自分はともかく、彼女はずっと病室に詰めていたので疲れ切っているはずだ。しかし、休んだら、とか、いったん帰ったら、と言っても頑として譲らず、祖母の枕元でじっと顔を見つめているのだった。

廊下は無人だった。

病人を眠らせるために、どこも暗く照明を落としてある。かすかに点《とも》る緑色の非常灯だけが、海の底の深海魚のようだ。

妻はどうしているだろう。

彼は痛む節々に顔をしかめながら立ち上がった。病室に行ってみることにする。このままでは、妻まで倒れてしまいそうだ。医者は、状態は安定していると言っていたことだし、今日こそは家に連れて帰ろう。

彼は足音を立てないように長い廊下を歩き続けた。

誰もいないかのようだ。

さすがに不安になり、そっと辺りを見回す。ナースステーションの明かりを探すが、なかなか見つからない。いつもはすぐに辿《たど》り着くはずなのに。

ふと、ほのかな明かりを見て、彼は、妻の横顔が鈍く照らし出されているのを見た。

ああ、ここだったか。

彼がドアを開けてそっと中に入っていくと、妻は唇の前に指を当てる仕草をした。

彼は頷き、彼女のすぐ後ろの小さな椅子《いす》に腰掛ける。

枕の上には、昏々《こんこん》と眠り続ける老女の顔がある。苦痛の色はなく、ぐっすりと眠っているように見えるのが救いだった。

彼は、カーディガンを羽織った妻の肩に手を回した。彼女の滑らかな手が、彼の手をつかむ。

「今ね、おばあちゃんと相談していたの、これからのこと」

「これからのことって？」

二人は声を潜め、囁《ささや》くように言葉を交わした。

「これからどうやって生きていくか——あたし一人で本当に戦っていけるのかって、おばあちゃんの後ろにいる、一族の霊に尋ねていたの」

「一人じゃないだろう。僕がいる。僕は強い。誰よりも。君を守ってあげられる」

彼は妻の肩に回す手に力を込める。

顔は見えないが、妻が微笑むのが分かった。

「ええ、そうね。でも、だからこそあたしたちはみんなに助けを求められないんでしょう？」

その声は淋《さび》しそうだったが、弱々しくはなかった。

「うん。僕らは、一族の掟《おきて》を破ってしまったからね。本当は、僕たちは一緒になるべきではなかった。別々のパートナーを一族以外の人間から見つけるべきだったんだ」

彼はなるべく淡々とした声に聞こえるように努力した。

「だけど、もうそんなことは考えられない」

「ええ。あたしもよ」

「大丈夫だよ。僕らだけでやっていける。力を合わせれば」

「そうね。大丈夫ね。きっと、おばあちゃんもあたしたちのことを守ってくれるわ」

「うん」

二人でどれくらいそうしていたことか。

いつのまにか、二人共うとうとまどろんでいた。

が、妻がハッとして起き上がるのにつられて、彼も跳ね起きた。

「おばあちゃん」

妻が引きつった声で叫ぶ。

「おばあちゃん、おばあちゃん」

老女は呼吸をしていなかった。かすかに口を開け、長閑な顔で横たわっている。

妻は揺さぶった。

「おばあちゃん！」

ナースコールボタンを押す。廊下が騒がしくなり、パタパタと誰かが駆けてくる音がする。白衣を着た人間が現れ、ベッドの上の老女を調べ、厳かに臨終を宣言する。

部屋に満ちるすすり泣き。白い布を掛けられた顔。

妻と二人で、静かにお別れをする。

「さあ、もう帰ろう。これからは、僕たち二人が家族だ」

彼はそう声を掛け、病室を出ようとする。

が、誰かに上着の裾《すそ》をつかまれ、彼は足を止める。

「どうしたんだい？」

彼は妻を振り返る。

が、妻はベッドの脇《わき》に座って俯《うつむ》いたままだ。その表情は陰になって見えない。

彼は自分の上着の裾を見る。誰がつかんでいるのか。

骨ばった手が、ベッドの布団の中から伸びていた。黒ずんだしみだらけの手が、彼の上着の裾をしっかりつかんで離さない。

「な、なぜ」

彼は慌てた。これは誰の手なのだ？

白い布の掛かった顔を見る。

が、ゆっくりと顔が持ち上がり、布がはらりと床に落ちた。

「嘘つきめ」

老女の落ち窪《おちくぼ》んだ目は、怒りに溢れていた。すっかり顔色は死者の土色になっているものの、目だけは爛々《らんらん》と呪詛《じゅそ》に光っている。

「よくも、うちの孫にあることないこと吹き込んでくれたな。おまえに出会ったばっかりに、おまえに丸めこまれ、おまえの言う大嘘に騙されたばっかりに、うちの孫がどんなに苦しんだことか。あんなに優しくて、明るくて、綺麗だった娘が、家事もできず、汚い部屋の中でうずくまって、風の音にも、呼び鈴の音にも、どんな音にもびくびくして。何日も、何日も、そんな孫を見ているあたしの気持ちがおまえに分かるか。この、泥棒め。大嘘つきめ」

老女の声はどんどん大きくなる。

「おばあちゃん、何を言っているんですか。あなたは死んだはずだ。もう僕たちのことに口出しなどできないはずだ」

彼は笑ってみせる。しかし、目は笑っていない。

つかまれた上着、目を見開いてこちらに迫ってくる老女。口から漏れる腐臭。

「嘘つきめ」

「嘘つきめ」

ベッドの脇の妻の口からも、同じ台詞《せりふ》が漏れていた。

信じられない気持ちで彼は妻を見る。

俯いたままの妻。

「僕は嘘などついていない。僕は君のためを思って、君を守るために、君と結婚した。僕らはこれから新しい家庭を作る。新しい世界を一から作る。そのための努力だ」

「**嘘つきめ**」

暗黒の目をした男が、ベッドの脇で顔を上げ、彼を見据えていた。

雨が降っている。
凄い雨だ。
ごうごうと外で雨が降り、地面を川となって低いところ目指して流れる。
暗い、大きな空間に、白い柱が並んでいる。
雨の音だけが、激しく響き渡る。
火浦は、嵌め殺しの窓のところに立って外を見ていた。
鳥居の黒い影が、雨のカーテンの向こうにぼんやりと浮かんでいる。
一人の男と、一人の女と、一人の娘が、柱に寄りかかって眠っている。
ひどく無防備な、子供のような表情で、ぐっすり眠っている。
「――嘘つきめ」
火浦は、吐き捨てるようにそう呟いた。
もはや同情の余地はない。
火浦はガラスに拳を打ちつけた。軽く、苛立ちを表すように何度も。
家族を「裏返す」のが難しいのは確かだ。しかし、結局、彼らは互いに誰も信用していなかった。彼らは、自分すら信じていなかった。自分を納得させること、騙すことすらもできなかったのだ。

火浦は、自分が苦い気持ちを嚙《か》み締めていることに気付いた。

なぜ？

火浦は、ふと何気なく頰に手をやり、そこが濡《ぬ》れていることに気付いた。

まじまじと自分の手を見る。

なんだこれは？　まさか、涙？　どうして俺が？　なぜこんなものを流している？

火浦はかすかに動揺した。

ぶるっと空気が震動したような気がして、彼は柱の群れを見上げた。

柱の向こうにいる、あの教室にこもっている人々が、彼の感情の動きにでも反応したのだろうか。

彼は暫く考えていたが、やがて小さく鼻を鳴らし、上着で手を拭って眠る三人に向き直った。

もう終わった。彼らの能力は、今日を最後にこの世界から消滅する。

火浦は大きく呼吸した。

ふと、暎子が何かぶつぶつと呟いていることに気付いた。

「思い出したわ——思い出したの——」

火浦は暎子の口に顔を近付け、耳を傾ける。もう夢すら見ていないはずなのに。
暎子は微笑みすら浮かべ、呟いている。
「思い出したの――あなたの名前――名前」
名前？
火浦は暎子の顔を見、男の顔を見る。
暎子の唇からは、聞き取れないほどのかすかな声がまだ流れていた。

「あなたの名は――肇――はじめ――」

はじめ、か。火浦は鼻を鳴らした。
なるほど、今の場面にふさわしい。火浦は立ち上がった。
ついに、終わりの始まりを始める時が来たのだから。
火浦はゆっくりと手を上げた。
全てを消す消しゴム。彼だけの消しゴム。
そして、彼は消し始めた。

第六章　十二月二十二日　水曜日

年の瀬の街角は華やいでいる。

今年は久しぶりにクリスマス・イブが金曜日に当たっており、その前日は祝日とあって、祝前日である今日も、繁華街はカップルでいっぱいだ。

去年開業した大規模商業施設は、一周年を経てようやく街の景色に馴染《なじ》んできたようであり、道行く人もこの風景に慣れたのか、昨年のような浮き足立った雰囲気はなく、落ち着いた足取りで歩いている。

その片隅で、一人の男がベンチに腰掛けている。

黒のスーツをぴしりと着た男は、ゆったりと煙草《タバコ》を吸っていた。何かを思い起こしているようでもあり、ただぼんやりとしているようにも見える。

行き交う人々。期待に満ちた喧騒《けんそう》。

男は何気なく空を見上げる。

ブロンズの蜘蛛《くも》が、彼を見下ろしている。

彼は、じっとその蜘蛛を見つめていたが、誰かが小走りに駆け寄ってきたことに気付き、そちらに目をやった。

彼に向かって、頬《ほお》を上気させ、目を輝かせてやってくる綺麗な娘。

男は軽く手を挙げ、微笑《ほほえ》んでみせる。

「お待たせ。ごめんなさい、道が混んでて」

娘は軽く息を切らしている。バスを降りてから、走ってきたのだろう。その一途《いちず》な様子が目に浮かび、男は小さく手を振った。

「いいんだ。それより、お母さんはもう来てるかな？」

「まだだと思うわ。バスの中で、これから会社を出るってメール受け取ったから」

「そうか」

男は煙草を潰《つぶ》して携帯灰皿に入れると、立ち上がった。

「じゃあ、店に行ってようか」

「ええ」

さりげなく肩を寄せ合い、二人は連れ立って歩き始める。

「火浦さんの親戚《しんせき》の方にも会いたかったのに。本当に、呼ばなくてよかったの？」

「いいんだ。親戚といっても、子供の頃に少し世話になっただけでずっと音信不通だし。元々天涯孤独だからな」

ふと、娘は不安そうな顔になり、男を見上げた。

男はその表情を受け止めると、目を合わせずにかすかに笑った。

「今は時子がいるからな。それでじゅうぶんだ」

娘は恥じらうように目を伏せたが、男の肩に顔を寄せた。

ふと、ビルのショーウインドーに映った自分たちの姿が目に入る。

彼女は、つかのま、ぼんやりした表情になった。感情が消え、うつろな目になる。

「どうした？」

男が声を掛ける。娘はハッと我に返った。

「ううん、なんでもない」

さりげなく男の腕をつかむが、彼女は自分の手に目をやって微笑んだ。

その薬指には新しい指輪が輝いている。

大通りから少し入った、静かな隠れ家のようなレストランである。

奥まった席には、焦茶色のスーツを着た一人の男が座っていた。アペリティフを頼み、一人静かに誰かを待っている様子だ。

席の後ろは一面の鏡になっていて、店の豪華な内装が映し出されている。

各テーブルに置かれているロウソクの炎がちらちらと揺れて、シックな雰囲気を醸し出している。

男はチラッと鏡を見た。誰かが入ってくるのが視界の隅に見えたのだ。

長身の男と、華奢《きゃしゃ》な娘がコートを脱いでいる。

拝島暎子の娘、時子とその婚約者、火浦晃司《こうじ》である。男が手を挙げると、時子が気付いて会釈した。

「高橋さん、お待たせしてすみません。何時頃こちらに？」

席に着きながら、時子が尋ねる。

「五分くらい前だよ。お母さんは？」

「もう少し掛かると思います。さっきメールが来たから」

「僕も何か貰《もら》おうかな。君は？」

「あたしはいいわ。お母さんが来るまで待ってる」

火浦もアペリティフを頼み、高橋とグラスを合わせる仕草をして一口飲んだ。

世間話をしていると、慌しく駆け込んでくる人影があった。

「ああ、やっと来た」

「遅いよ」

口々に文句を言うと、ベージュのコートを脱ぎながら、暎子が拝む仕草をしてみせる。

「ごめんなさい、出掛けにうるさいのにつかまっちゃって。あら、飲んでるのね。あたしも、まず駆け付け一杯、飲ませてちょうだい。乾杯はそのあとね」

暎子は賑《にぎ》やかにテーブルに着くと、三人に微笑んでみせた。

和やかな雰囲気で、暎子がアペリティフを飲み終えると、シャンパンが運ばれてきて、四人に振舞われた。

「婚約おめでとう、時子」

「婚約おめでとう、お母さん」

親子は顔を見合わせ、気恥ずかしそうな表情になった。

二人の男は、その様子をニヤニヤしながら見ている。

料理が運ばれてきて、食事が始まった。


和やかな食事を楽しみながらも、高橋伸久は鏡の中に映る暎子にしばしば目をやらずにはいられなかった。

今ではすっかり元気になり、全く何の後遺症も見られない。

そのことに安堵《あんど》しつつも、彼の心からは奇妙なモヤモヤしたものが消えない。

感情豊かな目を輝かせ、楽しそうに話をする暎子。彼女には、持って生まれた華とダイナミックさというものがある。そんな彼女に、高橋は高校時代から憧《あこが》れていた。彼は若い頃にいったん結婚したものの数年で離婚していたので、まさかこの歳《とし》になって暎子と再婚することになるとは思いもよらなかった。

娘の時子は物静かで、どちらかといえば父親似のようだ。随分前に父親が失踪《しっそう》しているため、高橋に対する反感はなく、むしろ母親と一緒になってくれることに感謝しているようだ。

そして、この火浦という男。名の知れたコンサルティング会社の研究員で、非常に聡明で沈着冷静な男だった。浮わついたところのない、堅実な雰囲気が時子と共通している。だが、この男にも、高橋はかすかな違和感のようなものを感じるのだった。

高橋はワインを飲みながら回想する。

あれは一年前。

ちょうど今ごろだ。時子から、暎子が社員旅行先で倒れたまま二週間以上意識が戻らないという連絡を貰い、慌てて現地の病院に駆けつけた。ホスピスだというのでギョッとしたが、しっかりした病院で、診ていた医師も優秀だった。

暎子の枕元《まくらもと》には、時子と、暎子の古い知り合いで、この近くに実家があるという火浦がいた。暎子と会うことになっていたが、連絡がないので家に電話したところ、時子からここに入院しているのを聞いたのだという。

その医師と話し合ったが、確かに奇妙な症状だった。ただ眠っているだけ。全くどこにも異常がない。高橋は、かつて彼女が変な風にモノが見えると話していたことを話題にしたが、実際にその直前に、彼自身が彼女の脳を調べて全く異常がないことを確認しているのだから、話してみるだけ無駄だった。

しかし、翌日、全く唐突に彼女は目を覚ましたのだった。

朝病室に入ってみると、彼女はきょとんとした顔でベッドに起き上がっていて、看護師や時子たちを仰天させた。

彼女は自分の身に起きたことを他人事《ひとごと》のように聞いていた。

倒れる直前のことや眠っていた間のことは何も覚えておらず、とにかく何年分もぐっすり眠ったとしか思えない、とケロリとしている。

誰もが狐《きつね》につままれたように顔を見合わせ、改めてさまざまな検査をしたが、二週間以上寝ていたことによる筋肉の萎縮《いしゅく》はあっても、身体的にはどこも全く異常がない。結局、原因は分からないままに彼女は退院し、会社に復帰した。むしろ、入院前より肌の色艶《いろつや》もよくなり、若返ってパワフルになったと言われたほどである。

暫《しばら》くの間は、高橋も何か後遺症が出るのでは、また昏倒《こんとう》したりしたら、と警戒していたのだが、そんな心配をよそに、暎子は非常に健康で元気だった。

それ以降、高橋と暎子は少しずつ接近した。それまでは決して高橋もそんなつもりはなかったのだが、あの入院以来、暎子は失踪したままの夫に対するふんぎりがついたようで、ずっと二人の間に見えない存在として立ちはだかっていた夫の影が消えて、一人の男として彼女とつきあえるようになっていった。

それと同時に、暎子の家には火浦が出入りするようになっていて、いつのまにか時子とつきあい始めていた。そして、期せずして、今年の秋にはほぼ前後して母と娘の婚約が決まったのである。ついでだから、式もいっぺんに済ませてしまおうということになり、来年の二月に、二組合同の挙式を予定していた。

とんとん拍子の展開に、何も不満はない。むしろ、こんなにできすぎた話でよいのだろうか、と思うくらいだ。

だが。

高橋には引っ掛かることがあった。

口に出したことはないけれど、入院前と後で、暎子には明らかに異なるところがある。

かつて、暎子は、人間が無機質なものに見える、うちの家族にはそういう性質が遺伝しているという話をしていた。高橋が彼女の脳を検査したのも、そもそも脳外科医を志したのも、かつて彼女からその話を聞いていたことが一因なのだ。

しかし、退院後の彼女は、高橋にその話をしたこと、そのことについて自分で調べていたことをすっかり失念してしまっていた。やはり何か脳に変化が起きているのでは、と思ったが、やがて、それは心因性のものだったのではないかと思うようになった。

確かに、元々そんな気質があったのだろう。しかし、それにも増して夫の失踪は、長く彼女を苦しめていたし、自分を責め、夫を責め、屈辱感に苛《さいな》まれていたようだ。それが自分の脳へと興味が向かうきっかけになったのかもしれないし、それによってなにがしかの責任転嫁をしようとしていたのかもしれない。ところが、その悩みが何かのきっかけで取り除かれたのだ。それは彼女にとって、ありがたいことであると同時に大変ショックな出来事でもあった。彼女はそのことを記憶することを拒絶し、その反動であれだけの睡眠を必要としたのかもしれない。そして、原因が取り除かれた今、長年の悩みだった症状も一緒に消えてしまった——

そんな説明を考えてみたのだが、やはり釈然としない部分は残る。

彼女には広場恐怖症の気があった。我慢していたが、人の多いところや、不特定多数の人間が出入りする場所を嫌った。それは、娘にも共通していると聞いたことがある。

退院後、暎子からはそれが消え失《う》せていた。かつて広場恐怖症だったことすら忘れているようだ。しかも、奇妙なことに、なぜか娘の時子からもその兆候が失われていたのである。

これはどういうことだろう。

高橋は不思議に思った。もっとも、子供というのは母親の気分に引きずられやすい。

母親の具合が悪いと自分も悪いように感じたり、実際に似たような症状を引き起こすこともある。彼女たちの場合もそういうケースだったのだろうか。母子家庭の期間が長かったから、その一体感は大きいだろう。母親の恐怖が、娘にも伝染していただけなのかもしれない。

高橋は、話を合わせ、料理を口に運びながらも、ソファの後ろの壁の鏡に目をやらずにはいられなかった。

かつては、暎子はこんなレストランには絶対入らなかっただろう。彼女は鏡張りの部屋を極端に嫌がった。鏡の中で、他人と目が合ってしまうのが怖いのだそうだ。

しかし、今では鏡張りのレストランでこうして平気な顔で料理を食べ、ワインを飲み、談笑している。

医師として、夫として、彼女の恐怖症が治ったことを喜ぶべきなのだろうが、それでもやはり彼の中には違和感が残り続けている。

他にも気になることがある。

暎子も、時子も、鏡を見る時、似たような表情をするのである。鏡の中の自分の顔を見て、一瞬うつろになる。まるで、見知らぬ誰かを見る目つきであり、この顔は誰なのかを思い出そうとしているかのような表情になるのだ。それは、女が自分の顔を鏡で見る時の表情ではない。

更にもう一つ。

なぜか、暎子は、物の表と裏が見分けられないようなのだ。

何かの折、彼女の取り出したハンカチが裏返しに畳まれているのに気付き、それを指摘したのだが、暎子は「あら」と言って畳み直しただけで、何も言わなかった。しかし、彼女の家に行った時、洗濯物が、靴下やハンカチの裏表がまちまちに畳んであり、奇妙に思ったのだ。かつては、そんなことはなかった。これも、あの入院以来そうなったように思えた。

何が彼女に起きたのか？

高橋は用心深く母子二人を観察してきたが、その要因を見つけることはできなかった。そして、この日を迎えたのである。

食事は終わりにさしかかっていた。

暎子と時子が交替で化粧室に立つ間、高橋はふと火浦を飲みに誘う気になった。

「女性陣は、今日はもう引き揚げるようだけど、君は？　このあと何かある？」

「いえ。後でちょっと会社に寄ろうかと思ってはいましたが」

「少しどこかで飲まないかい？　一応、僕らも父と息子になるわけだし」

「いいですね」

何かを期待していたわけではない。もしかすると、心の奥底では、彼女たちの異変に、彼が気付いているかちょっと聞いてみたかったのかもしれないが。

二人は四方山話《よもやまばなし》をしながら、近くのホテルのバーに入った。

オーセンティックな、落ち着けるバーだ。

火浦は一見冷酷そうな印象を受けるが、話すと濃《こま》やかで座持ちもうまく、会う度に驚かされるのだった。

「いやあ、去年の今ごろはこんなふうになるとは夢にも思わなかったね」

高橋はそんなふうに話を切り出した。

「そうですね。僕もそうですよ。あの時、病院で顔を合わせたメンバーがそのまんま一つの家族になってしまうなんて」

火浦は小さく笑った。

「ねえ、君は、昔の暎子を知ってるんだよね。いつごろだい？」

「暎子さんと僕の大学が一緒でゼミの教授も同じなんですが、うちのゼミは代々同窓の仲がいいんです。そこで知り合って、就職の時とかアドバイスして貰ったんです。だから、かなり前ですよね。去年は本当に久しぶりで、親戚に不幸があって帰省してる時に、近くまで行くから久しぶりに会いましょうってことになって」

「なるほど。じゃあ、彼女の広場恐怖症のことは知ってた？」

「広場恐怖症？」

火浦は奇妙な表情になった。怪訝《けげん》そうな、不審げな顔である。

どうやら、彼は知らなかったらしい。それでは、退院後の変化など気付くべくもない。

高橋は内心がっかりした。

が、火浦はその話に興味を感じたようだ。

「どういうことです、暎子さんて広場恐怖症だったんですか？」

「広場恐怖症といっても、ちょっと特殊だと思うけど」

高橋は小さく肩をすくめた。

「以前は彼女、不特定多数の人がいるところを嫌がる傾向があった。さっきのレストランみたいな、鏡張りの店なんかも、昔は駄目だったんだよ。鏡の中で、誰かと目が合うのが嫌だと言ってね。聞くところによると、時ちゃんにもその気があったっていうんだ。だけど、去年の入院騒ぎのあと、すっかりそれが治ってる。どういうわけか、時ちゃんまで治ってる」

火浦が絶句するのが分かった。

高橋は何気なく火浦の顔を見て、彼が非常に険しい表情なのに驚かされる。

火浦はひどく真剣な声で尋ねた。

「高橋さんは、暎子さんの高校時代の同級生なんですよね？　じゃあ、暎子さんは、その頃から広場恐怖症だったんですか?」

「というよりも、彼女、昔から奇妙な悩みがあってね。時々、人間が無機質なものに感じられるっていうんだ。彼女の家系らしい」

「高校時代から」

火浦が低く呟《つぶや》いた。高橋は、そっと彼の表情を盗み見る。

何かショックを受けているように見えるが、言うべきではないことを言ってしまったのだろうか。

高橋は不安になった。

「どうかしたのか?」

そう尋ねると、火浦はやっと高橋に顔を向けて「いえ」と微笑んでみせた。

「そんなこと、知らなかった。快活で社交的なところしか知らなかったから、ちょっと驚きました」

「そうだね。意外にシャイで一人を好むところもあるんだけどね」

高橋は安堵して頷《うなず》く。

「知らなかった」

火浦はもう一度呟いた。

ふと、高橋は異なる種類の不安が込み上げてくるのを感じた。

この男は、いったい何者なのだろう。ひょっとすると、見た目通りの人間とは違うのではないか。この男のことを、俺《おれ》たちは何も知らないのではないか。

そんな考えが一瞬頭の中を過《よぎ》って、すぐに消えた。

カウンターの上に沈黙が降り、二人は、どちらからともなく、強い酒を注文していた。


ビルの中の無機質なオフィスで、二人の男が斜めに向き合っている。

大きなテーブルに、幾つかの一人掛けのソファ。一見、会議室のように見える。

二人は距離を置くように、斜めに離れて座っていた。

一人は真顔でテーブルの上で腕組みをしている火浦晃司であり、もう一人は、おどおどした表情でひどく老け込んだ拝島肇──暎子の最初の夫である。

「どうしてなんだ」

肇は、弱々しく咳払《せきばら》いをして、火浦をなじった。

「どうして私だけ、記憶を残しているんだ。私の力は根こそぎ奪ってしまったくせに──消してしまったくせに」

非難しているのだが、声に力がない。もごもごと独り言のようになってしまう。

火浦は答えない。肇の様子をじっと観察している。

「おまえは何を考えているんだ——時子と結婚するだと？　何を企《たくら》んでいるんだ」

　肇はかすかに震え始めた。火浦を睨《にら》み付けようとするのだが、うまくいかない。火浦の冷たい石のような目をちらっと見ただけで、ぎこちなく目を逸《そ》らしてしまう。

　火浦はソファに背を押し付けた。

「アフターサービスさ。『洗濯』には手間が掛かるんだ。ただ闇雲《やみくも》に洗って真っ白にするだけじゃ駄目で、きちんと糊《のり》をつけて、乾かして、元通り畳まないとね」

「アフターサービス、だと」

　肇の声が震えた。

「そんなことで、うちの娘と」

「ああ、あんたの捨てた妻と娘だよ」

　火浦の低い声が肇の声を遮る。

「よかったね。あんたの捨てた妻は幸せな再婚を決めたようだよ。高校時代の同級生だとさ。当時からぞっこんだったらしい。なかなかいい奴《やっ》だ。彼女も幸せそうだよ。喜んでやらないと」

　肇がびくっとするのが分かった。

　テーブルの一点を見つめてわなわな震えている。複雑な感情が心に渦巻いているのが見て取れた。

肇は顔を上げ、火浦に訴えた。

「頼む、俺の記憶も消してくれ。俺も——俺だって——心安らかに生きていきたいんだ」

「ほう、これまでは心安らかだったんだな。妻子を捨てたまま、あの寝殿に籠《こも》りっきりでいた間は」

火浦が淡々と言うと、肇は俯《うつむ》いてしまった。

火浦はフンと鼻を鳴らした。

「大丈夫、そのうちあんたの記憶もまっさらにしてやるよ。今のところはまだ駄目だ。あんたは保険だ。『洗濯』にはいろいろな危険がつきまとうもんでね。事実関係を確認するために、あんたにはもう少しこれまでの経緯を覚えていてもらわないと」

「いつまでなんだ」

肇は頭を抱えた。

「こんな、ただでさえ飼い殺しのような生活なのに、これまでの記憶が残っていては気が滅入《めい》ってたまらない」

「あんたって人間は、どこまでも自分のことしか考えてないんだな」

火浦はあきれ声を出した。

「あんたには大学の講師の座を用意したし、一族の共済金から手当てまで出してるんだぜ。このご時世に、生活が保障されているなんざ、贅沢《ぜいたく》なことだ。なんなら、放り出しても構わないんだよ。俺たちと縁を切って、一人で暮らしていけるならそのほうが手間が省けて俺たちも助かる」

肇は頭を抱えたまま動かない。

「なあ、あんたの言ったことは本当に事実なんだろうな？」

火浦は探るような目つきで、肇に向かって身を乗り出した。

肇は、のろのろと火浦を見る。

「事実？　何が？」

「あんたが、大学の教室で、暎子を『裏返して』そのまま『洗濯屋』に『洗って』もらい、元から一族だった記憶を彼女に植え付けたというのは？」

肇は小さく怒りを爆発させた。

「どうしてそんなことで嘘《うそ》をつかなきゃならない？　あの時、暎子にそれを打ち明けるのがどんなに恐ろしいことだったか」

肇は怒りに燃えた目で睨み、喉《のど》をひくつかせた。

火浦は全く動じることなく、そんな肇をじっと観察している。

「――少なくとも、あんたはそれを本当だと思っているようだな」

「なんだと？」

「ならいいんだ」

「え？」

肇は毒気を抜かれたような表情になる。

火浦は興味を失ったように肇から目を離すと、一人考え込んだ。


フライドチキンと、サラダと、ケーキと、スパークリングワイン。

時子は買い物のリストをチェックした。

会社の帰りに、駅前の花屋で、あまり仰々しくない小さな花束を買って、彼の部屋のテーブルに活《い》けよう。

今夜はクリスマス・イブ。

このところ、週末には火浦のマンションで一緒に過ごすようになっている。今日は街も混むだろうから、火浦の部屋でホームパーティをすることになっていた。二人きりでいられる喜びに、改めて胸が躍る。

高橋さんは、母とどこかで遅い時間に食事をするようだ。今年はカレンダーのせいで業務が前倒しになってしまい、相変わらず母はぎりぎりまで残業をするらしい。勤務医の高橋さんも大変な忙しさだが、母も忙しい。二人で過ごせる時間はそんなに多くないだろうに、大人の二人はそれで納得しているようだ。

ああいう関係もいいな。それぞれの仕事を尊重して、やりくりして短い時間を一緒に過ごすというのも。

母は、いろいろ仕事が溜《た》まっているからと、いつもより早く出かけていった。

母の和室に入り、父の写真に挨拶《あいさつ》をする。

仏壇ではなく、写真とお花だけ。再婚が決まったあとも、母は写真を飾り続けている。

お花の水を替えようとしたら、もう母が替えていったことに気付いた。

習慣になっているんだものね。今更、身体《からだ》に染み付いた習慣はなかなか変えられない。

なんだか切ない気持ちになった。

が、その瞬間、ぐらりと視界が揺れたような気がして、時子は驚いた。

ぐにゃりと部屋が歪《ゆが》み、吐き気がして、奇妙な不安が込み上げてくる。

あれ？　どうしたのかしら？　なんだか、前にもこれと似たような光景を見たような気がする。同じような気持ちで、同じようなことを考えたような――

頭痛がした。

頭を押さえ、じっと治まるのを待つ。

時々、こんなことがある。何か、とても大事なことを忘れてしまっているような気がして、それを掘り起こそうとすると、頭の中にモヤモヤとした灰色の霧が立ち込め、頭痛がしてくるのだ。

呼吸を整えつつ、時子は部屋を出て出勤の支度をする。

いつからこんなふうになったんだっけ？　お母さんが去年入院した頃からのような気がする。

たった一年前のことなのに、既に遠い夢のようだ。

あの時は、いっぺんにこの世にたった一人で残されるのかと悲愴《ひそう》な気分でいたのに、一年後の今では、いっぺんに新しい家族が二人も増えて、明るい未来しか考えられないなんて。

そう、あの病院に、青い顔をした火浦が現れた瞬間のことを、時子は鮮明に覚えている。

病室で、初めて顔を合わせた瞬間。

身体のどこかが目覚めたような気がした。

運命の人。後から、そんなことを思ったものだ。

この人とは出会うべくして出会ったのだ、もしかすると、前世でもどこかで会っていたのかもしれない。そんな、馬鹿みたいなことまで考えたほど、あの瞬間から時子にとって火浦は特別な存在になったのだ。

何度も訪ねてくる火浦と少しずつ親しくなり、高橋も来てくれて、やがて母も目覚めてくれて、まるで、母は入院することで火浦と高橋を呼び寄せてくれたのではないかと思ったほどだった。全てが母の策略だったのではないかと。

それからの一年は夢のようだった。

緩やかに、着実に、二人は近付き、歩み始めていた。

誰かのために生きること。誰かと共に生きること。それがこんなにも充実した、歓喜に満ちた、素晴らしいことだとは思わなかった。

火浦ほど時子のことを理解してくれる人に出会ったことはなかった。母ですら、こうは分かってくれないだろう。

時子も、火浦の孤独な魂を理解している。家族に恵まれない環境で育ち、生き馬の目を抜く世界に身を置いて仕事をしてきた彼の孤独を。

やはり、あたしたちは出会うべくして出会ったのだ。

時子は鏡に向かい、口紅をひく。

美しくなりたい、美しくみせたい。その思いが、自分の顔を輝かせているのが分かる。

が、そこでもまた彼女は奇妙な既視感を覚えるのだった。

鏡の中の若い女。

そこには、うつろな顔をした時子がいる。

恐怖に満ちた目、怯《おび》えた目をした時子。

鏡を見ると、自分の今の表情とは明らかに違う、うつろな時子がいるのだ。自分の顔のはずなのに、自分とは思えない。まるで別の世界に生きる、もう一人のつらい時子の顔を見せつけられたような錯覚に陥るのだ。

しかし、我に返ると、にこやかに口紅をひく時子がいて、今見たもう一人の自分は何なんだろう、と心の隅でぼんやり考えているのだった。

あまりに幸せなので、怖くなるのだろうか。

時子はそんなふうに考えた。これまで、母と二人きりで緊張した歳月を送ってきたので、誰かに心を委《ゆだ》ね、寛《くつろ》ぐことが贅沢で怖いのだ。

緊張した歳月。二人で怯えた歳月。

あれ？

時子は首をひねる。

何かしら、今の。そんなに緊張していたかしら？　怯えていた？　そりゃあ、お父さんがいなくなって、いつも喪失感や欠落感はあったけれど、怯えていたというのは違う。

なのに、今、反射的にそんな言葉が浮かんだ。

時子は玄関の鍵《かぎ》を掛けながら、不安になる。晴れ上がった空から降り注ぐ冬の陽射しは暖かいが、空気にはぴんと冷たいものが張り詰めていた。

時子、変わったね。

誰かの声が聞こえる。学生時代の友人だ。

前は、人のいっぱいいるところ駄目だったじゃん？　最近は平気になったんだね。

久しぶりに仲良しグループで集まった時、そんなことを言われたっけ。

そうだっけ？

そんな間抜けな返事をしてしまい、みんなに笑われ、あきれられた。確かに、昔は人ごみがとてもつらかったような気がする。人ごみに怯えて、こそこそ逃げ回っていたような記憶がある。

だけど、それも昔のことだ。今では平気だし、どこにでも行けるし、かつてそんなことでびくびくしていたなんて自分でも信じられない。

さあ、今日はてきぱき仕事を済ませよう。かといって、夜のデートのことばかり考えていると思われるのも嫌だから、夕方も慌てたりしないで、平然としていよう。レストランの予約をしているわけではないし、彼も帰宅は遅めになるというから、ゆっくり彼の家に行けばいい。デパートの食料品売り場は混むだろうけど、七時を過ぎれば少しは空《す》いて、お惣菜《そうざい》も安くなるはず。

時子は退社後の予定を組み立てるのに夢中になり、ほんの少し前に感じていた不安など、すっかりどこかに行ってしまっていた。

静まり返った夜のオフィスで、暎子は黙々と仕事をしていた。

若手社員はクリスマス・イブで気もそぞろ。六時過ぎには大半の社員が姿を消してしまい、残っているのは年嵩《としかさ》の社員ばかりである。

日頃から書類を溜めないようにしているつもりなのだが、どうしてこう、どこからともなく大量の書類が現れるのだろうか。

ちらっとデスクのカレンダーに目をやる。

来週は今年最後の週で、挨拶回りと大掃除で精一杯。実質的に作業ができるのは今日までだ。なんとか片付けてしまわなければ。

暎子は肩を回し、小さく溜息《ためいき》をつく。

高橋との待ち合わせは、朝までやっている麻布のイタリアンレストランに十一時だから、まだ余裕はある。

ふと、感慨を覚えた。こうしてクリスマス・イブに誰かと待ち合わせをするなんて、いったい何年ぶりだろう。

随分長い旅をしてきたような気がした。遠いところから、遠いところへ。

突然バタバタと、さっき帰ったはずの社員がオフィスに入ってきた。

「あら、どうしたの」

「雨ですよ、雨。急に降り出しちゃって。なんだよー、昼間はいいお天気だったのに」

男性社員は、肩の雨を払い、置き傘を探しに行った。

「雨」

暎子は呟き、自分の後ろの大きな窓を振り返る。

終わりの始まりの雨が降り始めた。

不意にそんな文章が頭に浮かび、ぎょっとする。

暗い窓ガラスの外側を水滴が流れ、もう一人の暎子の顔が映っている。

彼女はまじまじとその顔を見つめた。

いつからこんな顔をするようになったのだろう。まるで死人のような目だ。ガラスの向こうに、もう一つの別の世界があって、そちらで生きる暎子はとてもつらそうだ。こちら側のあたしはこんなにも幸福で、満ち足りているというのに。

やはり、去年の入院以来、すべてが好転したとしか思えない。

暎子は窓ガラスの前に立ち、ぼんやりと回想した。

あれくらい何もかも忘れてぐっすり眠ったのは、いったい何年ぶりのことか。病室で目覚めた時、文字通り生まれ変わったような感覚を味わったものだ。

だが、その一方で、それからの一年が、どこか嘘臭い夢のように思えて仕方がないことも事実だ。

こちらの暎子の世界が嘘でないと言い切れる？

暗いガラスの向こうの、うつろな目をした女がそう問い掛ける。

あの恐怖に満ちた日々、一瞬たりとも気の抜けない日々が真実ではないと誰が保証できる?

恐怖に満ちた日々?

暎子は首をひねった。思いがけない言葉だった。そんな言葉が、どこから出てきたのだろう。

夫の不在に苦しんではきたけれど、それなりに喜びのある歳月だった。月日は穏やかに流れ、娘も成長し、いい青年と巡り会った。多少歳が離れているけれど、時子は精神的に成熟した娘だ。なかなか似合いのカップルだと思う。

ふと、うつろな目の女の向こうで、黒ずくめの男が自分を見ていることに気付く。

長身で、輪郭のはっきりした男。火浦だ。

暗い目。不吉な目。不吉な男。

暎子は思わず振り返っていた。

むろん、そこには誰もいない。火浦がいるはずはない。今ごろ、彼のマンションで、時子と二人で過ごしているはずだ。

なんだろう、不吉な男だなどと。

娘の婚約者にそんなことを考えるなんて。それとも、やはり長いこと母子家庭で過ごしてきたから、娘を取られるような気持ちがあるのだろうか。

暎子は苦笑し、首を振った。

すっかり仕事がお留守になっていることに気付き、冷たいお茶でも飲もうと廊下に出て喫煙コーナーに向かう。

長い廊下はがらんとして全く人気がなく、他の部署もほとんど無人のようだった。

やけに暗いな。

緑茶のミニペットボトルを買い、喫煙コーナーの椅子《いす》に腰掛ける。

経費節減の折とはいえ、こんなに真っ暗では、逆に不用心ではないのか。そんなことを考えた。

喫煙コーナーに座っていると、外の雨音が大きく聞こえてきた。

ビルの壁を通して聞こえてくるのだから、かなり強い雨だ。

終わりの始まりの雨。

暎子はびくっとする。

まただ。なぜそんな言葉が。

瞬《まばた》きをし、こめかみを押さえた。オーバーワークかしらん。

仕事も多忙を極め、その上自分と娘の結婚式が近付いているとあっては、どうしてもオーバーワークにならざるを得ない。やらなければならないことはたくさんある。大変だけれど、おめでたいことだし、充実している。

その時、暎子はガラガラという音を聞いた。

雨の音に重なり、遠くから何かが近付いてくる。

音は徐々に大きくなってきた。

誰かが、廊下で台車を押しているらしい。

こんな時間に、何を運んでいるのだろう。

暎子は無意識のうちに立ち上がっていた。ペットボトルをベンチに置き、のろのろと喫煙コーナーから廊下に出る。

暗い廊下。どうしてこんなに暗いのだろうか。

長い廊下だ。今夜はまた、えらく長く感じる。

闇の中から、小柄な女が現れる。白い手押し車を押し、こちらに向かってくるのだ。

牛乳売りのおばさん？　なぜこんな時間に？

暎子は怪訝な顔になった。

今は警備上の問題もあって、飲み物を売る業者は入れていないはずだ。以前よく牛乳を売りにきていたおばさんは、随分前に退職しているし。

女は淡々と手押し車を押し、こちらにやってくる。

頭には白い布の帽子をかぶり、俯き加減になっているので、顔は見えない。その体型から、高齢の女性だということが分かるだけだ。

暎子は動くこともできず、廊下の隅にぼんやりと立っていた。

激しい不安が込み上げてくる。

ずっと以前。かなり昔、似たようなことがあったような気がする。こんなふうに、廊下から手押し車を押して誰かがやってきて、ひどく恐ろしい目に遭ったような──

視界が歪む。全身が粟立《あわだ》つ。

近付いてくる。悪夢が歳月を超えて、こちらに近付いてくる。

この、恐怖に満ちた日々のほうが真実ではないのか。

頭の隅で、誰かがそう囁《ささや》き続けていた。

あのうつろな目、怯えた顔が真実なのではないか。

手押し車はいよいよ近付いてきた。

暎子は動けない。石になったように、目を見開いて、自分に迫る手押し車と老女を見つめている。

三メートルくらいのところまで近付き、唐突に手押し車は止まった。

老女は、俯いたままじっとしている。

「──誰なの？」

暎子はかすれた声で尋ねた。尋ねるというよりも、独り言に近かった。

「もう、いいだろう。いい加減、終わらせるんだよ」

低く落ち着いた声が、応《こた》えた。

「あなたは」

暎子はまじまじと老女の顔を覗《のぞ》き込んだ。

落《お》ち窪《くぼ》み、苦悩と叡智《えいち》と、不思議な清浄さを湛《たた》えた懐かしい目が暎子を見返す。

暎子はアッと叫んだ。

「**おばあちゃん**」


「雨だわ」

「急に降ってきたな」

テーブルの上を片付けていた時子が、俄《にわ》かに大きくなった雨音に、窓を振り返った。

「終わりの始まりの雨」

「え？」

時子の呟きに、火浦は振り向いた。が、彼女は自分の言ったことなどもう忘れてしまっているかのように、てきぱきと洗い物を始める。

「いいよ、後で俺がやっとく」

「油ものだけ」

今、彼女は何と言った？

火浦は洗い物をする時子の背中を凝視する。

終わりの始まりの雨。そう聞こえたが、意識して言ったのか、無意識の呟きなのか。

火浦は考えながら、酒の準備をした。自分にはウイスキーをロックで、時子にはスパークリングワインを少し。

ワインクーラーにボトルを入れ、細長いグラスを用意する。

火浦が、拝島母子の家庭に入り込んだことを「アフターサービス」と称したのは嘘ではなかった。「洗濯」には予想外の危険が伴う。他人の内面をいじるのは、みんなが思っている以上に大変なことなのだ。ましてや、幾ら火浦が史上最強の「洗濯屋」とはいえ、強い力を持つ親子を三人いっぺんに「洗う」のは初めてだった。「洗濯」が成功したかどうかを判断するのは非常に難しい。

だから、定期的に拝島家を訪問するのは、ほころびがないか、シミが残っていないかを確かめるのが主な目的であった。記憶にほころびがあればさりげなく修復し、「洗われた」ことによる不安や欠落感が顕《あらわ》れるようであれば、安心感を植え付けるようにした。

母子は自然に火浦を受け入れ、彼を頼るようになった。特に、時子は彼に対して強い恋愛感情を抱《いだ》くようになっていた。

吊橋《つりばし》効果というものがある。

男女が一緒に吊橋の上を歩くと、その二人は恋に落ちるというものだ。危険な体験、極限状況を共に体験した男女は、互いに強い恋愛感情を抱くというのである。

かつて不安に満ちた出会いから、さまざまな恐怖を共に味わったという記憶が時子の身体のどこかに残っているのか、彼女はあっというまに火浦に恋する娘になった。

彼女と結婚する気になったのは、このまま結果を見届けたい、と思ったからである。

この先、この母子に何が起きるのか。何も起きないのか。彼女たちの家庭に入り込み、日々見届けることは有意義で興味深いことに思えた。そろそろ彼自身、身を固めたほうが何かと世間の目をごまかせるという利点もある。

洗い物を終えて、はにかんだ顔の時子が部屋に入ってきた。

「お疲れさん」

「お待たせ」

「今日は何？」

「友達が面白いって言ってたのを借りてきたの」

時子は紙袋から、レンタルビデオ屋の青い袋を取り出した。こうして週末に、のんびり飲みながら映画を見るのがこのところの習慣になっている。

ソファに並んで座り、グラスを合わせ一口飲む。

無言で火浦は時子を抱き寄せ、軽く口づけを交わし、寄り添ったまま画面に見入る。

時子は夢見るような目で、火浦に身体を預けている。

二人はまだ一線を越えたことはなく、なんとなく暗黙の了解で、結婚するまではこのままでいることを決めていた。

今時ストイック過ぎるとも思うが、火浦のほうで避けていたというのもある。

二人が結ばれた時、何が起きるのか。火浦はそのことについてずっと考えていた。ハイブリッド・チャイルドである時子と、「洗濯屋」の自分。その二人の間に生まれてくるものは何なのか。彼にもそれは予想ができなかった。

あれほど警戒心を露《あらわ》にし、拒絶反応を示していた娘が、今腕の中で安心しきって身を委ねているのを見ているのは不思議な心地だった。

こうしている間も、彼女の身体に触れながら、火浦は無意識のうちに「ほころび」を探している。彼女を「洗った」時、そのあまりの潜在能力に呆然《ぼうぜん》とした。本人も気付かぬ膨大な未開拓の領域があることに彼は驚かされ、かすかに恐怖したものである。

もしかして、俺はとんでもないことをしているのかもしれない。

時子の髪の匂《にお》いを感じながら、火浦は考える。

俺は、世界を飲み込めるほど巨大な鯨に、自分は金魚であると思い込ませているのかもしれないのだ。

一方で、火浦はもう、自分を信じて全てを預けてくるこの娘を手放すことはできなくなっていた。

これまで彼は唯一無二の孤独を生きてきた。時子たちの孤独と似ているが、それとも異なる種類の圧倒的な孤独を。

しかし、彼は本当の意味でそのことを意識していたわけではなかった。彼女とこうしているようになって、改めて自分は孤独だったのだと月並みながら気付かされたのである。時子が思ったように、時子を完全に理解できるのは火浦だけだし、火浦の孤独を理解できるのも時子だけだった。

共存関係だな。

火浦はそんなことを考える。

大きな液晶TVの中で、映画が始まっていた。

どうやら、SFアクション映画らしい。

話に引き込まれ、二人はいっしんに画面に見入っていた。

面白いが、奇妙な話だ。

火浦はそっと時子を見た。彼女は熱心に見ていて、自分が盗み見られていることにも気付いていないようだ。

それは、次々と人間の身体に乗り移って殺戮《さつりく》を重ねるエイリアンを追う、同じくエイリアンの刑事の話だった。犯人も、刑事も、どちらも人間に化けているのは同じで、その人間離れした刑事が、人間の刑事と協力していく過程がちぐはぐでおかしさを醸し出している。その刑事が人間でないことを見破るのは、人間の刑事の子供だけだ。なぜ彼女はこんなDVDを借りてきたのだろう。他にも若い娘が好きそうな話はいくらでもあるのに、こんな古い作品をクリスマス・イブに見ようなんて。

「ほころび」か？

火浦は不安になる。何かが記憶の底を破って飛び出そうとしているのか？

時子の肩を抱く手に思わず力が入った。

「ほころび」はこまめに直さないと、思わぬところからあっというまにほつれて、取り返しのつかなくなる時がある。

どこだ？　どこがほつれているんだ？

火浦は意識の触手を伸ばし、時子の内側を探っていく。映画に集中しているためか、彼女の内面はクリアでしんとしている。

だが、火浦は戸惑っていた。

何もない。

灰色の、混沌《こんとん》とした——それでいて妙にフラットな、とらえどころのない空間が広がっているだけ。どこにも彼女はいないし、ほつれているような箇所もない。

いつのまに。

火浦は焦りを覚えた。

時子の内面の領域は、少し目を離した隙《すき》に、膨大な広さに膨らんでいた。この中から「ほころび」を探すのは大変な作業である。

そんな馬鹿な。こんな話、聞いたことがない。

そう思った瞬間、彼は、灰色のビルの中にいた。

静まり返った、無機質な空間。

とてつもない広さの、都市のような巨大なビルだということは分かる。

高速道路のような、幅の広い廊下を彼は歩いている。

淡い照明。薄暗い空間。

廊下の両脇《りょうわき》に、ずらりとドアが並んでいて、数え切れないほどどこまでも続いている。

試しに一つのドアを開けてみるが、中は空っぽ。がらんとした空間があるだけで、人っ子一人いないし、ボールペン一本も落ちていない。

他にもいくつか開けてみたが、どこも同じだった。空っぽのオフィスビル。そんな風景が続くばかりである。

火浦は駆け出した。

走りながら叫んでいた。

「時子！　どこにいるんだ、時子！」

無人のオフィスビルに、火浦の声が反響する。

しかし、どこにも人影はなく、生き物の気配はない。

都市のような巨大なオフィスビルの中にいるのは、火浦ただ一人きりなのだ。

「馬鹿な。返事をしろ、時子。おまえはここにいるはずだ」

跳ね返ってくるのは彼の声だけ。他に応える者はない。

ふと、長く広い廊下の真ん中に、誰かがうずくまっているのが見えた。

「時子？」

火浦は足を速めた。

「そこにいたのか」

ホッとして、近付いていく。

背中を向けて丸まっている誰か。


「**彼女はここにはいないよ**」

誰かはそう言って、くるりと振り向いた。

ごわごわした眉《まゆ》。がっちりとした身体。穏やかな目をした、かつて彼が「消しゴム」をかけた少年がそこにいた。

二人はしばし見つめあった。

「なぜおまえがここにいる。ここは時子の領域であって、俺のじゃない」

火浦は自分の声がそう言うのを聞いた。

「もう終わってしまったんだ。だから、どっちでもいいんだよ」

少年は、ぼそぼそと呟いた。

「終わってしまった？　何が終わったんだ？」

「もう世界は終わった。とっくに変わってしまっていたのを、そうでないことにしていただけなんだ」

「どういう意味だ」

「だって、ほら、雨が降ってる」

「雨？」

急に、バラバラという雨の音が響き始めた。どこに当たっているのか、窓なのか、壁なのか。確かに激しい雨の音だ。

少年は、耳を澄まし、雨の音を聞いてから小さく溜息をついた。

「終わりの始まりの雨なんだ。もうどうしようもない。僕も君も、もう苦しむことはない。全ては変わってしまったのさ」

「時子はどこへ行ったんだ。ここから出て行けるはずがない」

火浦はイライラした様子で周囲を見回した。

「ああ、彼女から伝言があるよ」

少年は、思い出したように顔を上げた。

「伝言？」

「うん。先に行ってるって」

「先？　先に行ってるって、どこに」

「ええと、なんだっけ」

少年は考え込む目付きになったが、思い出したらしくホッとした表情になった。

「公園さ。始まりの公園で待ってるって」


火浦はハッと目を覚ました。

激しい雨音。雨は勢いを失っておらず、閉め切っているのに雨の檻《おり》の中にいるようだった。

映画はもう終わっていた。青い初期画面が、固定されたかのようにそこにある。

時子はいなかった。

火浦一人が、ソファの上で眠り込み、部屋に取り残されていた。

眠ってしまった？　この俺が？

慌てて立ち上がり、部屋の中を見る。

「時子？」

家の中はがらんとして、誰もいない。少し前に見ていたオフィスビルのように。

玄関を見ると、彼女の靴とコートが消えていた。出て行ったらしい。

こんな夜中に。

時計を見ると、もう明け方近くになっていた。信じがたいことに、随分長いこと眠っていたのだ。火浦は愕然《がくぜん》とした。

何が起きているのか？

ふと、ソファの陰に、時子の携帯電話が転がっているのに気付いた。

携帯を置いていくなんて。

拾い上げ、画面を開く。

何気なくメールの着信リストを見て火浦はハッとした。

直近のメールは、拝島暎子からだった。

そのタイトルを目にして唸《うな》る。

そこには、こう書かれていた。

「公園で待つ」


ようやく雨は小降りになり、早朝の街は静まり返っていた。

十二月二十五日、土曜日。

昨夜の喧騒が嘘のように、街は眠りに就いている。もう年の暮れということもあるだろうが、その眠りはいつもより深いように感じられる。

特に、このような住宅街であれば、街全体が眠り込んでいて、声を出すのも憚《はばか》られるような雰囲気だ。

しかし、早朝の住宅街の濡《ぬ》れた舗道を急ぐ影があった。

長身の黒い影。

火浦は電車に乗ってやってきた。この一年、何度も通ってきた拝島家のマンションを通り過ぎ、その場所へ向かう。

何が起きているのか。

火浦の目は真剣で、ただひたすらに道を急ぐ。

この街で、彼一人だけが、目覚めていて正気のようだ。

彼の頭の中ではいろいろな考えが渦巻いていたが、どれも納得できるものではない。「洗濯」は成功したはずではなかったのか。暎子と時子は、公園で何をしようとしているのか。

始まりの公園。

頭の中で、その言葉が何度も繰り返されていた。

少年が振り向く姿が脳裏から消えない。

あのちっぽけな、町外れの公園。どこにでもある、見過ごしてしまいそうな公園。拝島肇が失踪した、拝島母子を捨てた公園。

空が白み始めていた。

正面に、その場所が見えた。

雨に濡れた常緑樹が見え、色褪《いろあ》せたジャングル・ジムが目に入る。

火浦はますます足を速めた。

そして、その小さな公園に、三人の人間が立っているのが見えてくる。

いた。本当にいた。

火浦は公園に足を踏み入れた。

ジャングル・ジムを囲むように立っている三人が、ゆっくりとこちらを振り向く。

「あんたたちは」

火浦は呆然とした。

拝島肇、暎子、時子。

三人が無表情に、息を切らす彼を見ている。

「どうして一緒にいるんだ。あんたが呼んだのか？」

火浦は肇を睨み付けた。

「それとも、俺が『洗った』のに、思い出したのか」

暎子と時子の顔を交互に見る。

少し沈黙があって、時子がゆるゆると首を振った。

「思い出したというよりも、覚えていた、というほうが近いかしら」

その表情はひどく静かである。時子の静かな目は火浦を不安にさせた。

三人とも、話し始めるきっかけを譲り合うように互いに見つめていたが、暎子が改まった様子になった。

「始まりの公園」

暎子が独り言のように言った。

「あの時、本当は何が起きていたのか知りたいでしょう」

暎子は火浦を見る。その目も時子と同じく穏やかだ。不自然なところは全くなく、火浦が「洗う」のに失敗したわけではないようだ。「ほころび」もない。ならばどうして?

　火浦は情報を求めて、肇を見る。

　肇はのろのろと歩き始めた。

「問題は」

　彼もまた、落ち着きを取り戻していた。先日オフィスで会った時の動揺や、情緒不安定な様子はすっかり消えている。

「とっくに終わっていたということなんだ」

　肇は当惑したような声を出した。

「終わっていた?」

「『裏返す』だの、『裏返される』だの、そういったことさ」

　肇の声はそっけない。

「そういうものがもう意味を為《な》さなくなっていた。長年そういったことを繰り返しているうちに、どちらも均質化して、ほとんど変わらない特質を持つようになってしまっていたのさ」

　肇は講義でもするように、後ろ手を組んでぐるぐると歩き回り始めた。

「あたしは常野一族ではなかった」

　暎子が溜息のように呟いた。

「確かに、あたしは『裏返される』側だった。けれど、あたしたちも、やっていること、感じていることは常野一族と大して変わらなかった。あたしたちには、常野一族こそが『あれ』として映っていたの」

似たような性質を獲得していた。

火浦は、かつて肇がそう言ったのを思い出した。

「あなたは、あたしたちが既に少数派だと言ったわね」

時子が口を開いた。

「あなたは、あたしたちが精神生命体に反応していると言った。古くから人間の精神に取りついている異物の生命体を拒絶しているのだと。しかし、今後ますますその生命体のほうが主流になり、あたしたちは滅びてしまう。そちらが今の時代の趨勢《すうせい》なのだと」

「ああ、そう言った。だから、あんたたちの力を無かったことにしてしまうべきだってね」

火浦は頷いた。

「あたしたちは、もう既に飲み込まれていたのよ」

「飲み込まれていたとは？」

「とっくに彼らと同化していた。既にあたしたちは彼らなのよ」

「だが、俺はあんたたちを『洗う』ことができた。あんたたちはその力を失っているはずだ。それに、時子はあのビルの中のラウンジで、紛れ込んでいる異物を見たろ？　その話には同意しかねるな」

火浦は懐疑的な口調を崩さない。

肇が自嘲気味《じちょうぎみ》に笑った。

「人間というのは、なかなか大義が捨てられないものでね」

再び彼はぶらぶらと歩き出した。

「苦痛に満ちた逃亡生活を続けているうちに、そこから抜け出せなくなる。やがては、逃亡生活そのものに生きている意義を見つけ出すようになるんだ。修羅場をくぐった傭《よう》兵《へい》が、戦場にしか自分を見つけられなくなるようにね」

「つまり？」

「僕らはあまりにも長いこと、それが習慣になっていた。子供の頃から恐怖の日常を刷り込まれていた。『裏返し』、『裏返される』ことにおのれの存在意義を見出《みいだ》してしまっていた。その意義がとっくに失われていることに耐えられなかったのさ」

肇は一瞬、苦い表情になり、すぐに苦笑に変えた。

「おまけに、僕らの力は強大だ。一緒にいることで力は増幅し、時子の力も日々増大している。僕らには彼らが幾らでも引き寄せられてきて、僕らは彼らを『裏返し』続ける。いつまでも続くゲーム、終わりのないゲーム、裏も表も同じ色のオセロ・ゲームをしているだけなんだ。これがいかに虚《むな》しいことか分かるかね？」

肇は火浦に笑い掛けた。

火浦はじっと肇を見つめる。

「だから、僕らは自分たちに物語を与えたのさ」

肇は遠くを見た。

「あの日、ここで本当に起きたことは」

誰かが公園に入ってくる。

小さな人影。年老いた女性であることが分かる。

「まさか」

火浦は小さく呟いた。

「大体、話はしたかね」

その顔に見覚えがあった。暎子の祖母だ。

「ええ、おばあちゃん」

暎子が頷く。

「あんた、まだ生きていたのか。死んだんじゃなかったのか」

火浦は小柄な人影に向かって話し掛ける。

黒っぽい服を着たその女は、小さく肩をすくめた。

「まあ、生きているとも言えるし、死んでいるとも言えるね。この世の中、あらゆる境目が溶け始めているから、どっちでもいいよ」

火浦はまじまじとその顔を見た。

存在しているのか。それとも、ただのイメージなのか。

老女はかすかに笑い、手を振った。

「無駄だよ。あたしを分析しようとしたって、無駄」

確かに何も見えなかった。火浦の触手も全く入り込めない。だが、この老女が測り知れない力の持ち主であることだけは分かった。解析不能の、全く違ったベクトルを向いた力の持ち主であると、彼の直感が告げている。

「あの日、彼女は僕らを訪ねてきた。僕らがアイデンティティを失いかけていることを知っていたからだ。僕らは、それぞれに自分たちの運命の物語を作り、それを自分たちに言い聞かせた。というよりも、まあ、彼女に言い聞かせて貰ったわけだ。そして、それを信じて生きてきた」

肇は、老女に向かって会釈をした。

老女はむっつりと頷く。

「そして、僕と時子は公園に出かけた。『洗濯屋』のばあさんが来るのを待つために」

肇は夢見るような表情になった。

「そう、まだ『洗濯屋』には物語があった。彼らの仕事には意義があった。僕が時子のそばにいると、無駄に彼女の力を増幅させるだけだ。もう猶予はなかった」

時子はじっと聞いている。

「僕は『包まれる』ことを選び、君を手伝うことを選んだ」

肇は火浦を見、暎子を見た。

「そのあたしたちを、あなたは『洗った』。だから、あたしたちは、自分たちの作った物語を信じ込む前に戻ってしまっただけなの」

暎子が淡々と呟く。

「この先、あなたも失業するわ。『洗濯屋』など必要ではなくなるの。だって、みんな同じになってしまうんだもの。どう、失業する気分は？」

「そう額面通り、あんたたちの話を受け取ることはできないな」

火浦は皮肉な口調で言った。

「あんたたちにはさんざん騙《だま》されてきた。こんな酷《ひど》い目に遭うのは初めてだ」

暎子が急に笑い出した。

「そうね。少なくとも、あなただけは最初から一貫して真面目《まじめ》に働いていたものね。そう。嘘つきはあたしたち。自分たちを幾重にも騙し続けていたんだから」

肇、暎子、時子は共犯者めいた目で視線を交わした。

「終わりの始まりの雨」。

暗い歳月が過る。

後ろめたさ、自嘲、罪悪感、徒労感。さまざまな感情が行き交うのが見えるようだった。

火浦は、時子がじっと自分を見つめていることに気付いた。

昨夜までの夢見る表情の娘とは違う、見たことのない彼女がそこにいた。

彼女は冷めた声でそう言った。

「婚約は解消？」

「どうして」

火浦はそう答える。

「もうアフターサービスは必要ないでしょう？」

火浦は苦笑した。

「まだ分からないさ。本当に必要ないのかどうかは」

「いいの？」

「いいさ」

短い会話に、全てが詰まっていた。

この瞬間、火浦は、俺はこの娘を愛している、と思った。

「さて、そろそろ行くかな」

肇が腕時計を見、老女を見た。

「どこへ行くんだ？」

火浦が声を掛ける。肇が振り返る。

「さあね。新たな物語の始動を待つよ」

「あんたにはもう力はない」

「そうかな」

肇は奇妙な目付きで火浦を見た。

「生命の歴史は、突然変異の歴史だ。ある生命体が隆盛を極めると、必ず新しい何かが出てきて次の地位を狙《ねら》う。主役交代劇は唐突にやってくる。ある日突然、再び次のゲームが始まらないと誰が決められる？」

肇はちらっと時子を見た。

「たとえば、君と時子の子供はどうだ？　その子は新しいゲームプレイヤーかもしれないぜ」

火浦と時子は思わず顔を見合わせた。

新しいゲームプレイヤー。

「その時まで、君もせいぜい腕が鈍《なま》らないようにしておくことだな」

肇は冷たい笑い声を立てた。

そして、老女と一緒に歩き出そうとしたが、立ち止まり、暎子を見た。

静寂。

二人は穏やかな視線を交わした。

僅《わず》かな沈黙の間に、長い歳月が巻き戻されたのが見える。

二人の共有した歳月と、共有しなかった歳月とが。

「暎子。長いことお疲れさま。幸せにな」

肇の声は落ち着いていた。暎子はかすかに微笑みながら目を伏せる。

「ええ、あなたも」

「ありがとう。時子も、幸せに」

肇は娘に頷いてみせ、娘も頷き返す。

「お父さんも」

そっけない別れだった。

しかし、そのことに文句を言う者は誰もいなかった。

肇と老女は、静かに公園を出て行った。二人とも一度も振り返らなかった。

「見て」

時子が小さく呟いた。

夜が明けた。

冬の陽射しが最初の光を覗かせ、早朝の公園を照らし出している。


高橋は、タクシーの中で欠伸《あくび》をしながら、夜明けの街を眺めていた。

昨夜は容体の急変した患者の処置をしていたため、結局暎子と約束していたレストランには行けなかったのだ。この職業、どうしようもない。もっとも、欠伸はしているもののの、頭の中は起きたままだ。

すると、暎子からメールが来た。

昨夜は暎子の家に火浦と時子も移動して、朝までパーティをしていたという。よかったら家に来て、朝食を一緒に食べないかというメールだ。

暎子もタフな女だな。

高橋はメールを見ながらクスリと笑った。脳外科医の妻としては、得がたい人材だ。

「ゆうべは随分降ったんだね」

濡れた舗道の水溜《みずたま》りを見ながら、高橋は呟いた。

「ええ、夜中は土砂降りでしたよ」

運転手が相槌《あいづち》を打つ。

「あ、そこの角で止めてくれ。どうもありがとう」

いきなりマンションの前に乗り付けるのも恥ずかしいので、少し歩くことにする。

空気は冷たかったが、外は気持ち良かった。緊急手術も成功したし、こうして仕事を終えて愛する女の元に帰れることに、ささやかな喜びがじわじわと湧《わ》いてくる。

ゆっくりと早朝の舗道を歩いていると、雨の匂いが足元を這《は》い上がってきた。

正面のほうから、話し声が聞こえてくる。

聞き覚えのある声だ。

「あ、高橋さんだ」

「ほんとだ」

「お帰りなさーい」

「お疲れさまー」

暎子と時子、火浦が歩いてくる。

「何してるんだい、そんなところで」

思わずあきれ声を出してしまった。

きょとんとした高橋の表情がおかしかったのか、みんなが笑う。

「朝の散歩よ。クリスマスだし」

「宴会の勢いがついちゃって、外に繰り出しちゃった」

新しい妻が、新しい娘が、手を振って笑う。

太陽が昇ってきた。

三人の姿が逆光に浮かび、その輪郭を神々しく輝かせている。

そうか、今日はクリスマスか。

高橋はやけに眩《まぶ》しさを感じた。

目を細め、彼に向かって歩いてくる三人がなぜか眩しい。

聖家族、という言葉が突然頭に浮かんだ。キリスト教徒でもないくせに、なぜか唐突に。

あの三人が、家族になるのだ。

高橋は、誇らしさで胸がいっぱいになるのを感じた。

朝日の中で、影が合流する。

新たな家族、新たなゲームのプレイヤーたち、四人の影が。

文庫版あとがき

この小説の最後のほうにちらっと出てくる映画は、ご存知の方はすぐに分かるだろうが、ジャック・ショルダー一九八七年監督作品『ヒドゥン』である。人間の身体を次々と乗っ取って逃げていくエイリアンをそうと知らずに追う刑事。彼に協力するFBI捜査官も実はエイリアンという設定で、この役をあまりにもぴったりなカイル・マクラクランが演じている。もはや大掛かりなSF映画が珍しくないご時世に、小粒ながらなかなかよくできたSFサスペンス映画であった。ラストの子供の表情が妙に印象に残っている。

『エンド・ゲーム』は「終盤戦」という意味であるが、この小説を連載していた頃は二十一世紀の世界が、もはや二元論では語れない、相対的で不条理な世界になってしまったという実感が強かった。そのせいか、書いている時もやたらとシニカルな気分だったことを思い出すし、内容にもそれがくっきりと表れている。

そのいっぽうで、『エンド・ゲーム』は「常野物語」のシリーズ三作目ということで非常に緊張したことを覚えている。当時、『マトリックス・レボリューションズ』や『ターミネーター3』を観て、物語の第三作というもののむつかしさを痛感したところであり、シリーズものの宿命としてハードルの上がる恐ろしさにびびっていたのだった。そういえば、『ヒドゥン』にも続編が作られているが、どうも嫌な予感がするので観ていない。

そんな世界観や緊張はさておき、この小説はむしろ独立したサスペンス小説として、いろいろ「攻めて」みた小説だ。話作りの傾向は年々変わっていくので、この小説を書いていた五年ほど前の「私の考えるサスペンス小説」はこうだったかと我ながら興味深い。

シリーズ作ではあるものの、それぞれが独立しているので、この『エンド・ゲーム』から読み始めても大丈夫。このあとがきを立ち読みしている貴方《あなた》、ぜひこの本をスタートとして、他のお話もごひいきに。どうぞよろしく。「常野物語」はまだ続きます。

二〇〇九年四月

恩田　陸

この作品は二〇〇六年一月、集英社より刊行されました。

恩田 陸の本

光の帝国　常野物語

穏やかで知的で、権力への志向をもたずに
生きる常野の一族。
人を見通し、癒し、守る。その不思議な
能力は何のために誰のために存在するのか。
常野シリーズ第一弾。

集英社文庫

恩田 陸の本

蒲公英《たんぽぽ》草紙　常野物語

20世紀初頭の東北の農村。少女峰子は、集落の名家・槙村家の聡子の話し相手をつとめていた。ある日、聡子の予言通りに村に謎めいた一家が訪れる。常野シリーズ第二弾。

集英社文庫

恩田 陸の本

ネバーランド

伝統ある男子校で寮生活をおくる少年たち。
年末、四人の少年が居残りすることに。
人けのない寮で起こる事件を通して、
明らかになる「秘密」とは。
奇跡の一週間を描く青春ミステリー。

集英社文庫

集英社文庫

エンド・ゲーム　常野物語《とこのものがたり》

2009年5月25日　第1刷
2021年6月6日　第12刷

定価はカバーに表示してあります。

著　者　恩田《おんだ》　陸《りく》

発行者　徳永　真

発行所　株式会社　集英社
東京都千代田区一ツ橋2-5-10　〒101-8050
電話　【編集部】03-3230-6095
【読者係】03-3230-6080
【販売部】03-3230-6393（書店専用）

印　刷　凸版印刷株式会社

製　本　凸版印刷株式会社

フォーマットデザイン　アリヤマデザインストア　　マークデザイン　居山浩二

ISBN978-4-08-746432-0 C0193